Art Textiles of the World

TELOS

Series Editor: Matthew Koumis
Volume Editor: Dery Timmer
English Translation: Anne Hartley
Project Manager: Vivien Brett
Photo Editor: Alice Kettle
Designer: Bernard Fallon Associates
Reprographics by Studio Technology, Leeds
Printed by Grafiche AZ, Verona, Italy

Published by Telos Art Publishing
PO Box 125, Winchester
SO23 7UJ
telephone: +44 (0) 1962 864546
facsimile: +44 (0) 1962 864727
e-mail: editorial@telos.net
www.arttextiles.com

ISBN 1902015061

A CIP catalogue record for this book is available from The British Library

Notes: all dimensions are shown in metric, height x width (x depth).
Artists' biographies included within this volume have been edited to a consistent length.

This book is dedicated to my mother Marietje Brinkhorst and my family.

Editor's Acknowledgements:

First of all I wish to thank Matthew Koumis and his wife Alice sincerely for their friendship and trust in the period during which this book was prepared, and for the intense companionship during our visits to the ten artists. Ten artists, and tenfold thanks for your support.

The kind co-operation of several public galleries, museums and owners of the works is acknowledged, including Nederlands Textielmuseum, Rabo Nederland and Benno Premsela Collection.

Special thanks to Marian Unger, Ietse Meij, Hannie Spierenburg, Jette Clover, Marjolein van der Stoep, Carla van Laar, Marian and Richard Goet, and the editors of Textiel Plus, Linda Hanssen and Ciska Hosper. My thanks to the curators of the Museum Rijswijk, Anne Kloosterboer and Arjan Kwakernaak, for their enthusiasm for the exhibition of the ten artists of this book, and to Jannie Tonnis de Graaf from the Kunstpaviljoen in Nieuw Roden for her follow-up exhibition organised to light another candle for textile art. I am very grateful to so many textile lovers and dear friends that supported me with their advice, assistance and encouragement. Anne Hartley, thank you for your critical translation. And last but not least I wish to thank my husband Wim who was always there to assist Matthew and me.

Photo Credits:

Theo Baart, Peter Bliek, Jan Dulfer, Richard Goet, Tom Haarfsen, Fotostudio Piet Janmaat, James Johnson, Kees Kuil, Jur Kuipers, Musem van Bommel van Dam, Nederlands Textielmuseum, Thijs Quispel, John Stoel, Robbert van Alen, Cees van Veelen, Pieter Vandermeer, Michiel Vijselaar, Jasper Wiedeman, Richard Willebrands, Ron Zijlstra.

Art Textiles of the World

The Netherlands

TELOS

Contents

left:
Hil Driessen
Wardrobe for Marie-Laure (1995)
metallic silk-organza; technique:
paper folding and patchwork
child's frock

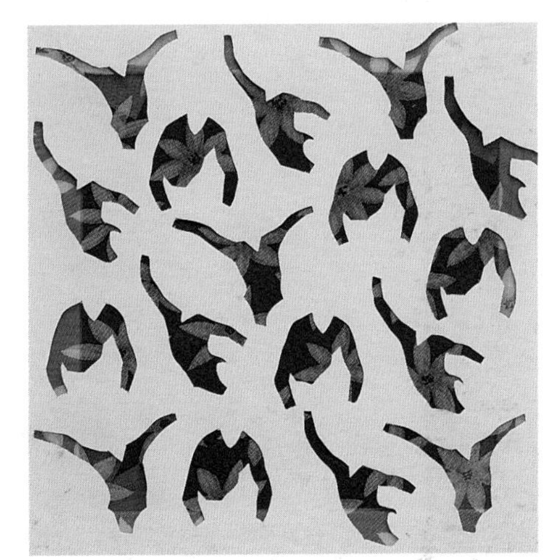

Wilma Kuil
Eurhythmics III

Textile – A Bird's Eye View

Thoughts on textile in the Netherlands

Art moves and amazes
Art lifts you up into another dimension
Art is emotion
Art is learning how to look; it's not the end but a beginning
Art gives you an intense sense of beauty
Art gives contentment
Art sometimes shocks, touching the innermost chord of life
Textile art becomes textile *art*

The textile artists I have selected present a clear image of textile art in the Netherlands. Each of them has broken new ground and crossed barriers. However, this opening up of new horizons is not an end in itself but a continuous search for even better ways of expressing ideas. Vision is the main thing; this is expressed in the eloquence of the artists' work.

Choice implies careful consideration. In this book I have opted for the more conceptual approach to art balancing between autonomous art and design.

The spotlight is on textile art, though I do not want to discuss this stigmatised term here and now; language is a difficult and deficient instrument and words are often burdened with history. It is only internationally used words such as Soft Art, Art Fabric, Sculpture, Fibre Arts, Flexible Art, Mixed Media and Installations that jointly cover the content of the works of art. In experiments, materials seem to merge quite naturally: textile and paper, hard and soft materials. That is why art and textile are only held together by a fine thread – sometimes just by a thought.

What is typically Dutch in textile art?

The Dutch – living along a stretch of coastline in a man-made, linear landscape intersected by rivers and canals, angular farmlands and bulb fields – are always aware of the boundaries defining land and water. They have in their genes simplicity and Mondrian's perfect harmony. An inclination towards pure abstraction is embedded in Dutch culture, as illustrated by the horizontals and verticals in Dutch textile art. This is, of course, just one clue, but it is yet striking to what extent the natural surroundings of some artists are mirrored in their work, the spaciousness of the polder in the work of Sonja Besselink, the isle of Texel and the lighthouse close by her house in the work of Marian Smit, the city of Amsterdam in the work of Maryan Geluk, and living by the sea in that of Marijke Arp.

Sonja Besselink
Untitled

Textiel in Vogelvlucht

Gedachten over textiel in Nederland

Kunst ontroert en verrast
Kunst tilt je naar een andere dimensie
Kunst is emotie
Kunst is leren zien: het is geen eindpunt, maar een begin
Kunst geeft een intens gevoel van schoonheid
Kunst maakt je tevreden
Kunst geeft soms een schok die de diepste snaar van het leven raakt
*Textiel*kunst naar textiel*kunst*

De textielkunstenaars die ik heb gekozen, presenteren een helder beeld van de textielkunst in Nederland. Elk voor zich hebben ze grenzen verlegd en zijn ze drempels over gegaan. Het verleggen van hun grenzen is echter geen doel op zich, maar een voortdurend onderzoeken hoe zij daarbij hun ideeën nog beter kunnen uitdrukken. Visie staat voorop; dat komt tot uitdrukking in de zeggingskracht van hun werk.

Kiezen is afwegen. Ik heb in dit boek gekozen voor de meer conceptuele benadering van de kunst in een balans tussen autonome kunst en vormgeving.

De schijnwerper wordt gericht op de textielkunst, al wil ik dit beladen woord nu niet bespreken; taal is een moeilijk en gebrekkig instrument en woorden zijn soms belast met historie. Alleen internationaal gebruikte woorden zoals Soft Art, Art Fabric, Sculpture, Fibre Arts, Flexible Art, Mixed Media, Installations dekken gezamenlijk de lading van de kunstwerken. Als vanzelfsprekend gaan materialen samen in experimenten; textiel en papier, zachte en harde materialen. Daardoor hangt de kunst nog slechts met een zijden draadje aan textiel, soms alleen nog maar met de gedachte.

Het Nederlandse in de textielkunst

Nederlanders – levend langs een langgerekte kustlijn in een door mensen gemaakt rechtlijnig landschap, dat doorsneden is door rivieren en kanalen, hoekige landerijen en bollenvelden – zijn zich voortdurend bewust van de grenzen tussen land en water, met in hun genen eenvoud en de absolute harmonie van Mondriaan. De neiging tot pure abstractie is ingebed in de Nederlandse cultuur, zoals de horizontalen en verticalen in de Nederlandse textielkunst. Het is natuurlijk slechts één aanknopingspunt, maar toch valt op hoezeer de natuurlijke omgeving van sommige kunstenaars in hun werk wordt weerspiegeld. De ruimte in de polder in het werk van Sonja Besselink, het eiland Texel en de vuurtoren dichtbij haar huis in het werk van Marian Smit, de stad Amsterdam in het werk van Maryan Geluk, het wonen aan zee van Marijke Arp.

In order to show along which paths Dutch textile art has developed, and which roots, influences and sources of inspiration have contributed to its growth, I would like to mention some developments in international textile art. For without international stimuli Dutch textile art could not have grown into such a free and spacial art. Important stimuli come from Great Britain, Germany, Poland, America, Belgium, Japan and Scandinavia.

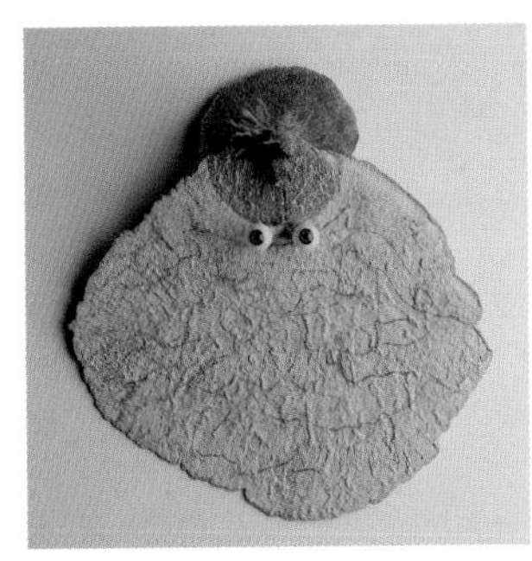

Maryan Geluk
Br@ins

The Bauhaus ideals found fertile soil in the Netherlands. Teachers at our Academies of Visual Art received their training there, for example Kitty Fischer van der Mijll Dekker and Grete Neter-Kähler. Lisbeth Oestreicher, a Bauhaus student, also worked in Holland, and her work is still being studied.

Also of particular significance in the Netherlands are the influences of Henri van de Velde – the Belgian architect, artist and designer who also designed embroidery for dresses, Chris Lebeau and his batik designs, the interior designers of the Amsterdam school, the 'De Stijl' group with Piet Mondrian, and the architects Berlage and Gerrit Rietveld.

The Biennale Internationale de la Tapisserie of Lausanne has been of great importance for the development of textile art and especially for the dissemination of its diversity: on the one hand the Biennale had a tremendous prestige but on the other its organisation and the applied selection procedures were considered debatable.

If nothing else, the name 'de la Tapisserie' gave rise to heated discussions, in the Netherlands too. It was nevertheless – from 1961 to 1995 – a significant biennial event for textile art, inspiring artists all over the world.

To the Polish-born Magdalena Abakanowicz do we owe the monumentalising of textile art. Her 'Abakans' signalled an entirely new direction in textile art. In the early '60s and simultaneously with Abakanowicz, Jagoda Buic of Yugoslavian origin began to weave her three-dimensional textile sculptures. They inspired Dutch artists to a larger extent than Lurçat, the founder of the Lausanne Biennale: Abakanowicz taught summer courses here. She received commissions for the 'Statenzaal' in the newly built 'Provinciehuis' in 's-Hertogenbosch, a creation of the architect Maaskant, and these resulted in the impressive wall installation 'Bois le Duc' (1971). This provincial government building houses a very important collection of textile art, just as the Dutch Textile Museum in Tilburg and the Municipal Museum of Amsterdam.

In America a group of interesting textile artists, Jack Lenor Larsen, Leonore Tawley, Claire Zeisler and Sheila Hicks came to the fore. All of them studied the cultures typical of the Indians in Mexico and Peru and, taking these as a starting point, they developed textile art into two-and

Om te laten zien langs welke wegen de Nederlandse textielkunst zich heeft ontplooid en welke wortels, invloeden en inspiratiebronnen daarbij van belang zijn geweest, wil ik enkele ontwikkelingen in de internationale textielkunst noemen. Want zonder internationale impulsen had de Nederlandse textielkunst niet zo vrij en ruimtelijk gestalte kunnen krijgen. Belangrijke impulsen komen uit Engeland, Duitsland, Polen, Amerika, België, Japan en Scandinavië.

De idealen van het Bauhaus zijn in Nederland zeer aangeslagen. Docenten aan onze kunstacademies werden daar opgeleid, zoals Kitty Fischer van der Mijll Dekker en Grete Neter-Kähler. Ook Bauhaus studente Lisbeth Oestreicher werkte in Nederland en haar werk wordt ook nu nog bestudeerd.

Specifiek voor Nederland zijn ook de invloed van Henri van de Velde – de Belgische architect, kunstenaar en vormgever, die ook borduurwerk voor japonnen ontwierp, Chris Lebeau en zijn batikontwerpen, de interieurvormgevers van de Amsterdamse school, De Stijl groep met Piet Mondriaan en de architecten Berlage en Gerrit Rietveld.

Voor de ontwikkeling van de textielkunst en vooral ook voor de verspreiding van haar diversiteit is de Biennale Internationale de la Tapisserie van Lausanne van groot belang geweest: enerzijds had deze een geweldig aanzien maar anderzijds was zij confronterend door de organisatie ervan en de gevolgde selectieprocedures.

Alleen al de naam, 'de la Tapisserie' heeft aanleiding gegeven tot heftige discussies, ook in Nederland. Maar afgezien daarvan was de Biennale van 1961 tot 1995 elke twee jaar een evenement van grote betekenis voor de textielkunst dat wereldwijd kunstenaars inspireerde.

Aan de Poolse Magdalena Abakanowicz danken we het monumentaliseren van de textielkunst; met haar 'Abakans' gaf ze het startsein voor een geheel nieuwe oriëntering in de textielkunst. Jagoda Buic, afkomstig uit Joegoslavië, begon tegelijk met Abakanowicz begin jaren zestig haar driedimensionale textielsculpturen te weven. Méér dan Lurçat, de grondlegger van de Biennale van Lausanne, hebben zij de kunstenaars in Nederland geïnspireerd: Abakanowicz gaf in Nederland 'Textile Art summer courses'. Zij kreeg opdrachten voor de Statenzaal in het pas gebouwde Provinciehuis van architect Maaskant in 's-Hertogenbosch en maakte daarvoor in 1971 het indrukwekkende 'Bois le Duc'. Dit provinciehuis bezit evenals het Nederlands Textiel Museum in Tilburg en het Stedelijk Museum in Amsterdam een grote collectie textielkunst.

In Amerika vormde zich een zeer interessante groep textielkunstenaars: Jack Lenor Larsen, Leonore Tawley, Claire Zeisler en Sheila Hicks. Zij allen verdiepten zich in de cultuur van de Indianen in Mexico en Peru, en van daaruit lieten zij textielkunst uitgroeien tot twee- en driedimensionale three-dimensional works. These four avant-garde artists inspired artists in the Netherlands and all over the world.

For Japan the International Biennales are a tremendous incentive – the work of young Japanese artists takes the Biennales by storm. The refinement and the perfection of transparent art constitute a beauty admired by many in the Netherlands.

The Scandinavian visual arts, with their austere delineation and simple monumentalism, highly appealed to many artists in this country too. In Northern Europe craftsmanship and art go together in quite a natural manner.

Nel Linssen
C.C. Miniature Object

werken. Deze avant-garde inspireerde kunstenaars in de hele wereld, ook in Nederland.

Voor Japan zijn de Internationale Biënnales een geweldige stimulans, het werk van jonge Japanse kunstenaars verovert de Biënnales stormenderhand. De verfijndheid en de vervolmaking van de transparante kunst zijn van een schoonheid die in Nederland door velen wordt bewonderd.

Ook de Scandinavische beeldende kunst met zijn strakke belijning en eenvoudige monumentaliteit sprak kunstenaars in ons land erg aan. Ambachtelijkheid en kunst vormen samen in het noorden van Europa op een vanzelfsprekende manier een eenheid.

In the '60s and the '70s there were a number of textile pioneers in the Netherlands such as Herman Scholten, Desirée Scholten-van de Rivière, Loes van der Horst, Marijke de Goey, Ria van Eijk, Margot Rolf and many others who, in joint exhibitions, acquainted the public with autonomous textile art. The struggle for the recognition of textile as a visual medium started with them.

Non-textile people as well have influenced developments these last fifty years. In this connection I cannot omit to mention the stimulating force emanating from Benno Premsela (1920–97), a designer who left his mark on the world of Dutch art and design and one of the rare collectors of Dutch textile art. His encouraging personality stimulated many textile artists in their careers. In *Een vlucht naar voren* (*A flight forwards*), the remarkable book about his life, Premsela names one of the reasons for his own multifaceted artistry. 'I have been asked questions I did not know I could answer.' This is how he approached others, always in search of quality, thus urging them on towards the next step and the opening of yet another window. This attitude had an essential influence on Dutch art.

The artists

Typically Dutch in the work of the following ten artists is the urge for transparency, clarity and precision. The work of these artists, each having its own poetry, is admired internationally in the many exhibitions where it is shown.

At the start of her career Marijke Arp won first prize in a competition organised by *Textiel Plus* magazine, entering a woven work of paper and strips of computer printouts. She searched for highly contrasting materials, for instance shiny and matt, transparent and opaque, man-made and natural. For her mixed media objects she combines rebellious materials like perspex, fibreglass and steel with yielding ones like plastic, paper and tyvek. In 1996 her transparent and fragile constructions stood swaying in the wind in rhythmic repetitions in the garden of Norton Priory, England.

In de jaren zestig en zeventig waren er in Nederland een aantal textielpioniers, zoals Herman Scholten, Desirée Scholten-van de Rivière, Loes van der Horst, Marijke de Goey, Ria van Eijk, Margot Rolf en vele anderen, die door gezamenlijk exposeren de autonome textielkunst naar buiten brachten. Het gevecht om erkenning van textiel als beeldend medium is bij hen begonnen.

Ook niet-textielmensen hebben invloed gehad op de ontwikkeling in de laatste vijftig jaar. In dit kader wil ik de stimulerende kracht die uitging van Benno Premsela (1920–97) niet ongenoemd laten: een beeldbepalend ontwerper binnen de Nederlandse kunst en vormgevingswereld en één van de zeer weinige verzamelaars van textielkunst. Daardoor ging er van hem een stimulans uit voor de textielcarrière van veel kunstenaars. Hij was een voorwaardenscheppende persoonlijkheid. In *Een vlucht naar voren*, het bijzondere boek over zijn leven, noemt Premsela één van de redenen van zijn eigen veelzijdig kunstenaarsschap: 'Ik heb vragen gekregen waarvan ik geen idee had dat ik ze kon beantwoorden.' Zo stond hij ook tegenover anderen, altijd op zoek naar kwaliteit, hen daarmee aansporend een stap verder te doen en weer een ander luik te openen. Deze mentaliteit heeft de Nederlandse kunst wezenlijk beïnvloed.

De kunstenaars

Het typisch Nederlandse in het werk van deze tien kunstenaars is een zucht naar helderheid, duidelijkheid en precisie. Ook internationaal trekt dat de aandacht, gezien de vele exposities waaraan de kunstenaars deelnemen met werk dat een eigen, individuele poëzie toont.

Marijke Arp won in het begin van haar carrière de 1e prijs bij de wedstrijd van *Textiel Plus* met een weefwerk van papier en teksten die ze met de computer had geprint. Ze ging op zoek naar materialen met grote tegenstellingen, zoals glanzend en mat, transparant en ondoorzichtig, kunstmatig en natuurlijk. Voor haar mixed media objecten combineert ze weerspannige materialen als perspex, fiberglas en staal met meegaande als plastic, papier en tyvek. Bewegend in de wind stonden in 1996 haar

Maryan Geluk works with textile as this material allows her the greatest scope to express herself. She works in a very constructive manner. The artefacts she creates from textile are both sculptures and environmental art. For it is actually the space in which the work of art is placed that is an essential element in the quest for harmony within the total design. In her work repetition, light and the rise of shadows lead to the perfect form. She herself was deeply affected by Zen Buddhism and Shintoism. The inspiration found there, with purity for its aim, is the guiding principle for her work.

In her knitting studio in Amsterdam, Marian Smit started out designing sweaters that even then showed the same elements of rhythm and repetition as found in her later work. The power of the thread is manifest and a shift can be observed from textile to paper, from yarn to copper and iron wire, used both two- and three-dimensionally. Her work is often on a small scale though possessing a great monumental power. In her work too the element of repetition is an underlying principle resulting in an infinite number of regular movements. She sometimes uses an abundant colour spectrum but her most recent work consists exclusively of white and black transparent line constructions. After moving some years ago from Amsterdam to Texel – a small island off the north-west coast of Holland – she entered the 3rd Triennale Internationale du Papier in Charmey and won first prize there with *A Bird's Eye View*, a transparent construction of the Amsterdam city plan.

Sonja Besselink, whose door project caused a sensation at the 1978 Biennale in Lausanne, developed into a visual artist working in thread and line, but in her case thread was actually turned into lines, etched free hand in primary colours on transparent perspex, resulting in linear structures. She makes large wall objects, the effect of which is enhanced by the interplay of lines on the wall, thus she strengthens the effect of intriguing speciality. The viewer is moved to keep on looking, and each time he looks he will experience it as different.

The work of Wilma Kuil gradually changed from spacial sculptures into two-dimensional design. After the death of her friend, the textile artist Anna Verwey, she inherited all Anna's fabrics. Those fabrics inspire her to work with a flat surface and to bring about changes in the fabric. She isolates a pattern, paints it over and adds appliqués to intensify it, selecting for example a floral pattern and alluding, tongue in cheek, to the 'Bouquet' series, the Dutch equivalent of Mills and Boone romances. She unites appearance and reality, making the work rise above mere textile. Very unassumingly she hangs her fabrics from two corners, as if a clothes-line.

Marian Smit
Flying Impossible I

transparante en fragiele constructies in ritmische herhalingen in de kloostertuin van Norton Priory in Engeland.

Maryan Geluk werkt met textiel omdat dit het materiaal is waarin zij zich het best kan uiten. Ze werkt zeer constructief. De sculpturen die zij vormt uit textiel zijn beeldhouwwerken, maar tegelijkertijd omgevingskunst. Want juist de ruimte waarin het kunstwerk geplaatst wordt is een essentieel element bij het streven naar harmonie in de totale vormgeving. De herhaling, de lichtval en het ontstaan van schaduwen leiden bij haar werk tot de perfecte vorm. Maryan Geluk werd diep geraakt door het Zenboeddhisme en het Shintoïsme. Die denkwereld gericht op puurheid is de leidraad voor haar werk.

Marian Smit begon in haar breiatelier in Amsterdam met het ontwerpen van truien waarin zich toen al hetzelfde ritme en herhalingselement bevond als in haar latere werk. De kracht van draden komt daarin tot uiting en er is een verschuiving waar te nemen van textiel naar papier en van garen naar koper- en ijzerdraad, zowel twee- als driedimensionaal. Haar werk is dikwijls klein van formaat maar het bezit een grote monumentaliteit. Ook in haar werk is het element herhaling een grondgedachte, waardoor er een eindeloze regelmaat van bewegingen ontstaat. Soms gebruikt zij een heel rijk kleurenspectrum, haar laatste werk daarentegen bestaat uitsluitend uit witte en zwarte transparante ruimtelijke lijnconstructies. Nadat zij enkele jaren geleden verhuisde van Amsterdam naar Texel deed zij mee aan de 3e Triennale Internationale du Papier in Charmey en won daar de eerste prijs met haar *A Bird's Eye View*, een transparante constructie van de plattegrond van Amsterdam.

Sonja Besselink, die met haar deurenproject in 1978 de Biennale in Lausanne verraste, ontwikkelde zich als beeldend kunstenaar met draad en lijn, maar bij haar is draad lijn geworden. De draad werd een uit de hand geëtste lijn op perspex, transparant met lijnen in primaire kleuren en met lineaire structuren. Zij maakt grote wandobjecten, waarbij ook op de wand een lijnenspel samenwerkt waarmee zij het effect van intrigerende ruimtelijkheid versterkt. Ontroerend werk om heel lang naar te kijken en steeds iets anders te ervaren.

Het werk van Wilma Kuil veranderde geleidelijk van ruimtelijke sculpturen naar tweedimensionale vormgeving. Na het overlijden van haar vriendin, textielkunstenaar Anna Verwey, erfde zij al haar lappen. Die stoffen inspireren haar tot het platte vlak en tot de stofveranderingen: ze isoleert een motief, schildert en appliqueert om het te versterken, bijvoorbeeld een bloemmotief met een knipoog naar de 'Boeketreeks'. Schijn en werkelijkheid brengt zij tot een eenheid, ze laat haar werk de textiel ontstijgen. Zeer pretentieloos hangt zij dikwijls haar doeken gewoon aan twee punten, als aan een waslijn.

Artists

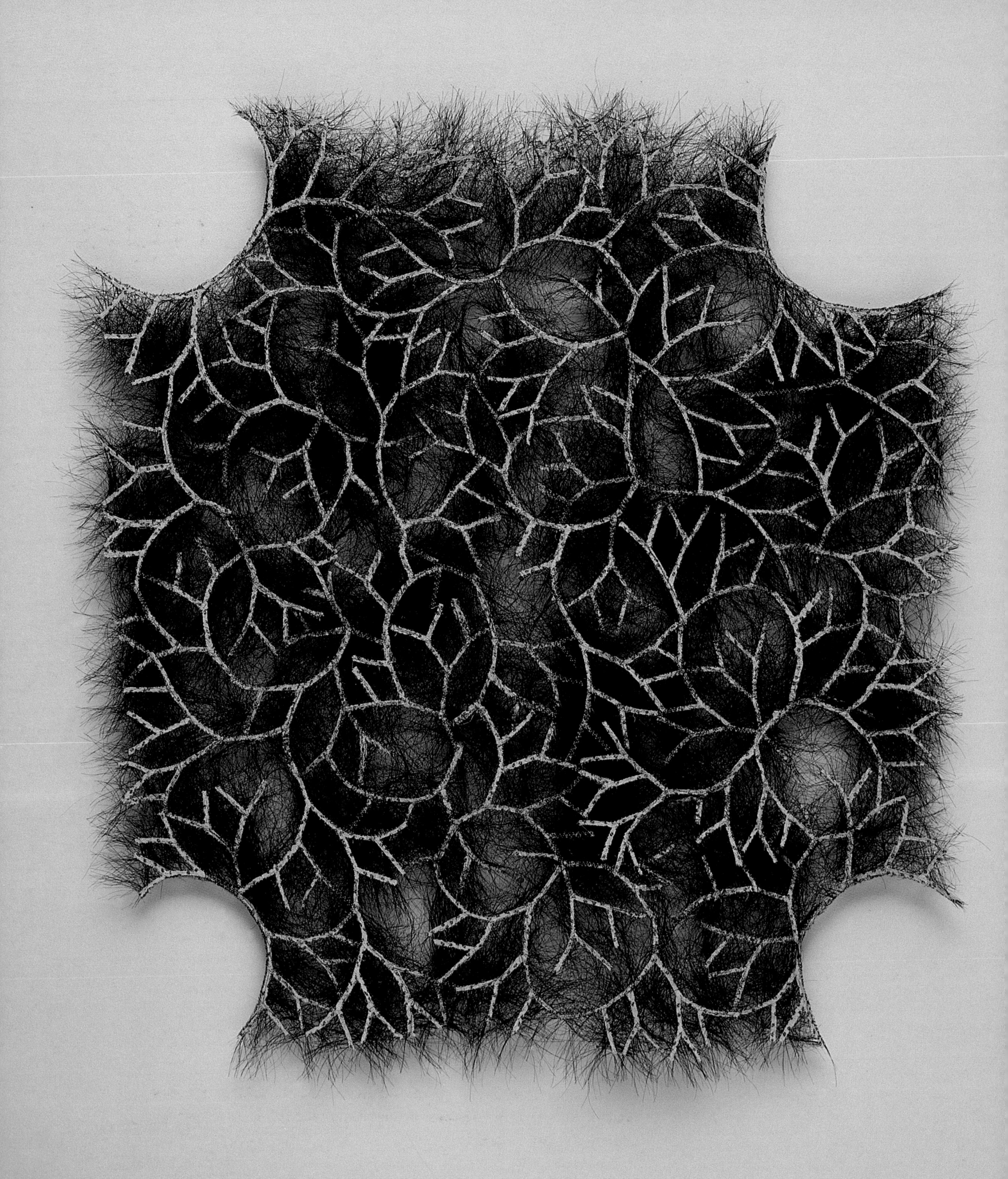

Marian Bijlenga

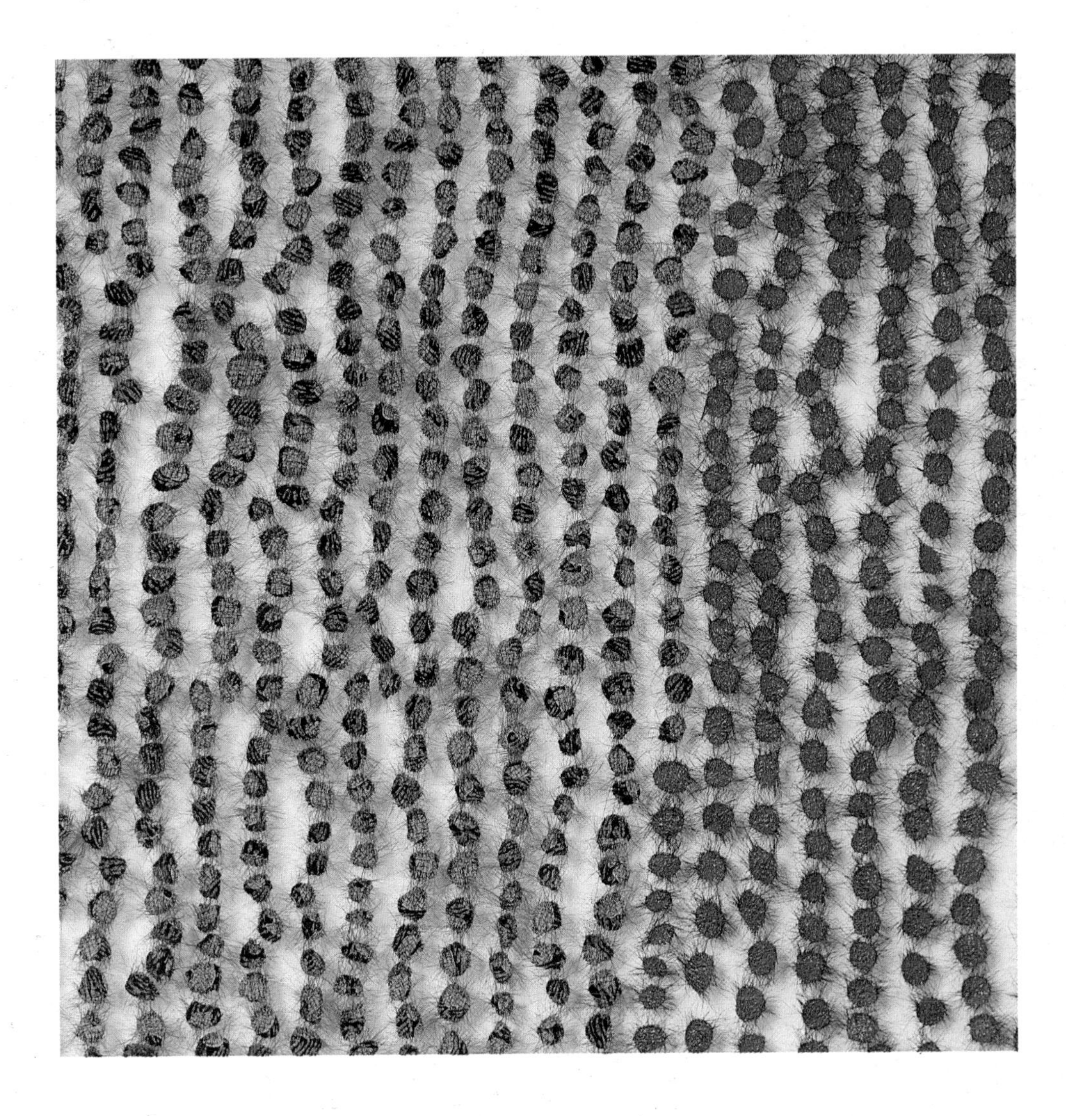

left:
Untitled (1991)
horsehair, cotton
95 x 95cm (37 x 37in)

right:
Dot Study (1998)
horsehair, cotton
160 x 130cm (63 x 51in)

I am intrigued by lines, by the patterns of bare winter branches against the sky, the shapes of leaves, the rippling water or the rhythm of writing.

I am fascinated by lines and contours, by their rhythmical movements but also by the empty space they confine. Instead of drawing on paper, I draw in space by using textile as a material.

I work with thread, strips of fabric and horsehair, materials that are soft, light, flexible and open to endless development. The suppleness of textiles gives me the greatest possible freedom to achieve my goal: the discovery of new forms.

For me transparency is a prerequisite. By leaving some space between the structure and the wall the object is freed from its background and interacts with the white wall. It becomes what I call a 'spatial drawing'.

I am intrigued by lines, by the patterns of bare winter branches against the sky, the shapes of leaves, the rippling water or the rhythm of writing. However, I never copy these patterns. During the process of creation the structure develops and, although it evokes many associations, has a life of its own.

Ik word geboeid door lijnen en contouren, door hun ritmische bewegingen, maar ook door de lege ruimte die zij omsluiten. Liever dan op papier teken ik in de ruimte en gebruik daarbij textiel als materiaal

Ontdekken van nieuwe vormen, dat is voor mij de uitdaging en textiel biedt mij daarbij de grootst mogelijke vrijheid. Ik werk met draad, repen stof en paardenhaar, materialen die zich makkelijk voegen en eindeloze mogelijkheden in zich dragen.

Transparantie is een wezenlijk aspect van mijn werk. Door ruimte te laten tussen de structuur en de wand wordt het object losgemaakt van zijn achtergrond en ontstaat een wisselwerking tussen object en wand. Het wordt een 'ruimtelijke tekening'.

Ik ben geïntrigeerd door lijnen, door takken die afsteken tegen de winterlucht, de contouren van bladeren, de rimpels in het water als de wind erover strijkt en de meanderende lijnen van schrift. Ik kopieer deze patronen echter nooit. De structuur groeit tijdens het scheppings-proces en hoewel deze associaties oproept met natuur heeft zij haar eigen dynamiek.

The arrangement of the forms, the combination of the colours, the outline of the structures, the degree of complexity or openess, all these choices I make intuitively during the working process.

Untitled (1991)
horsehair, viscose, cotton
130 x 130cm (51 x 51in)

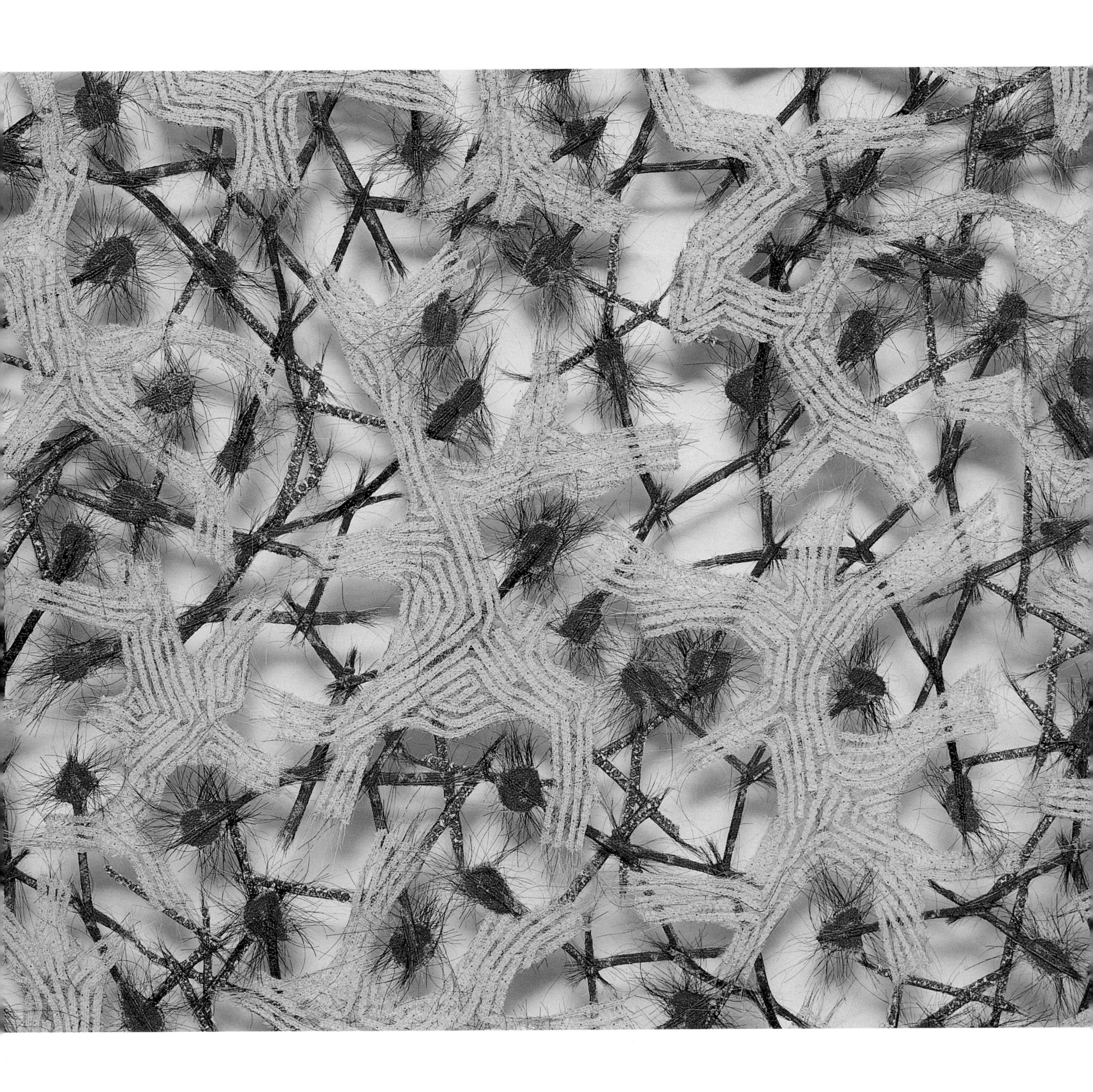

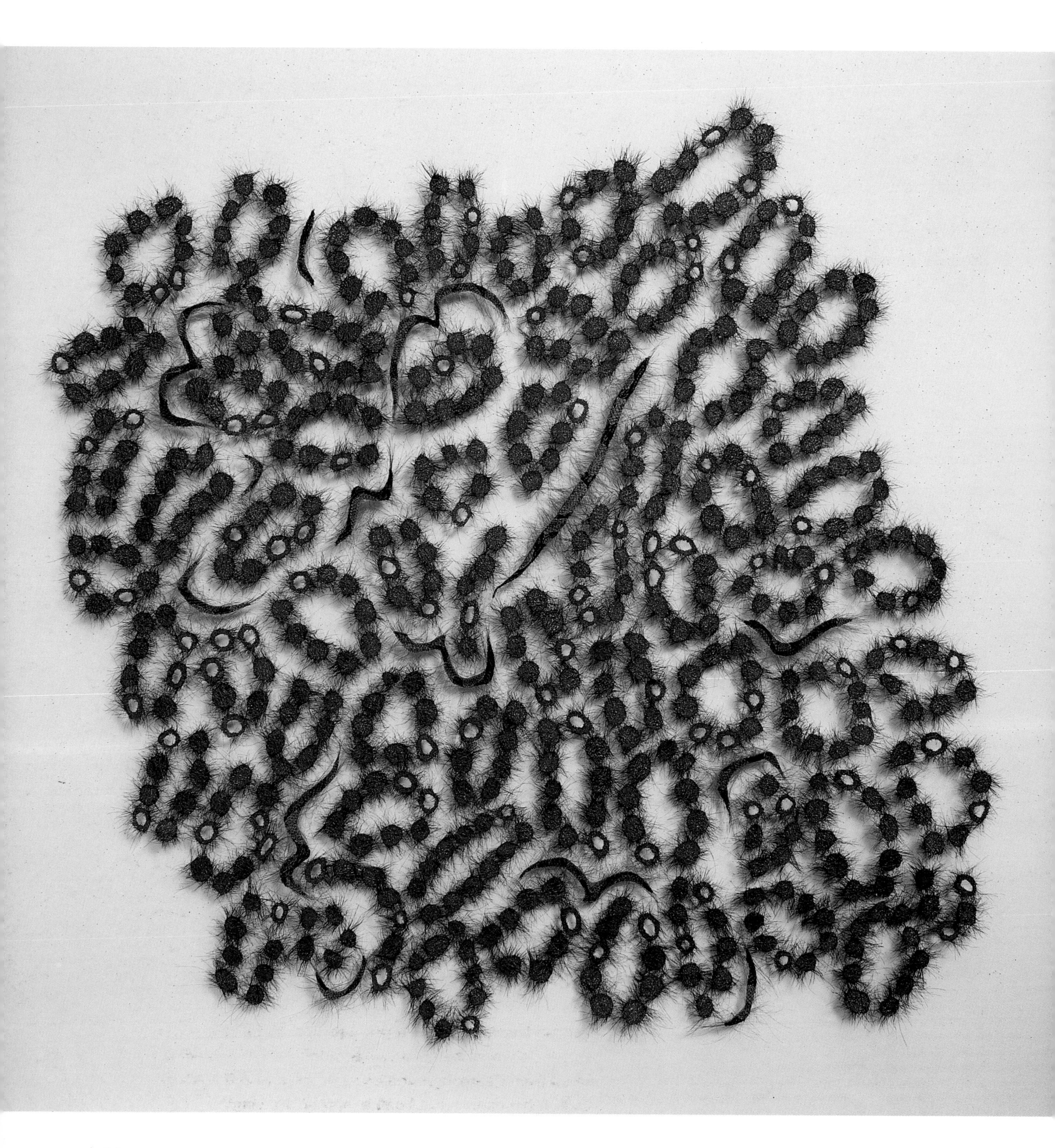

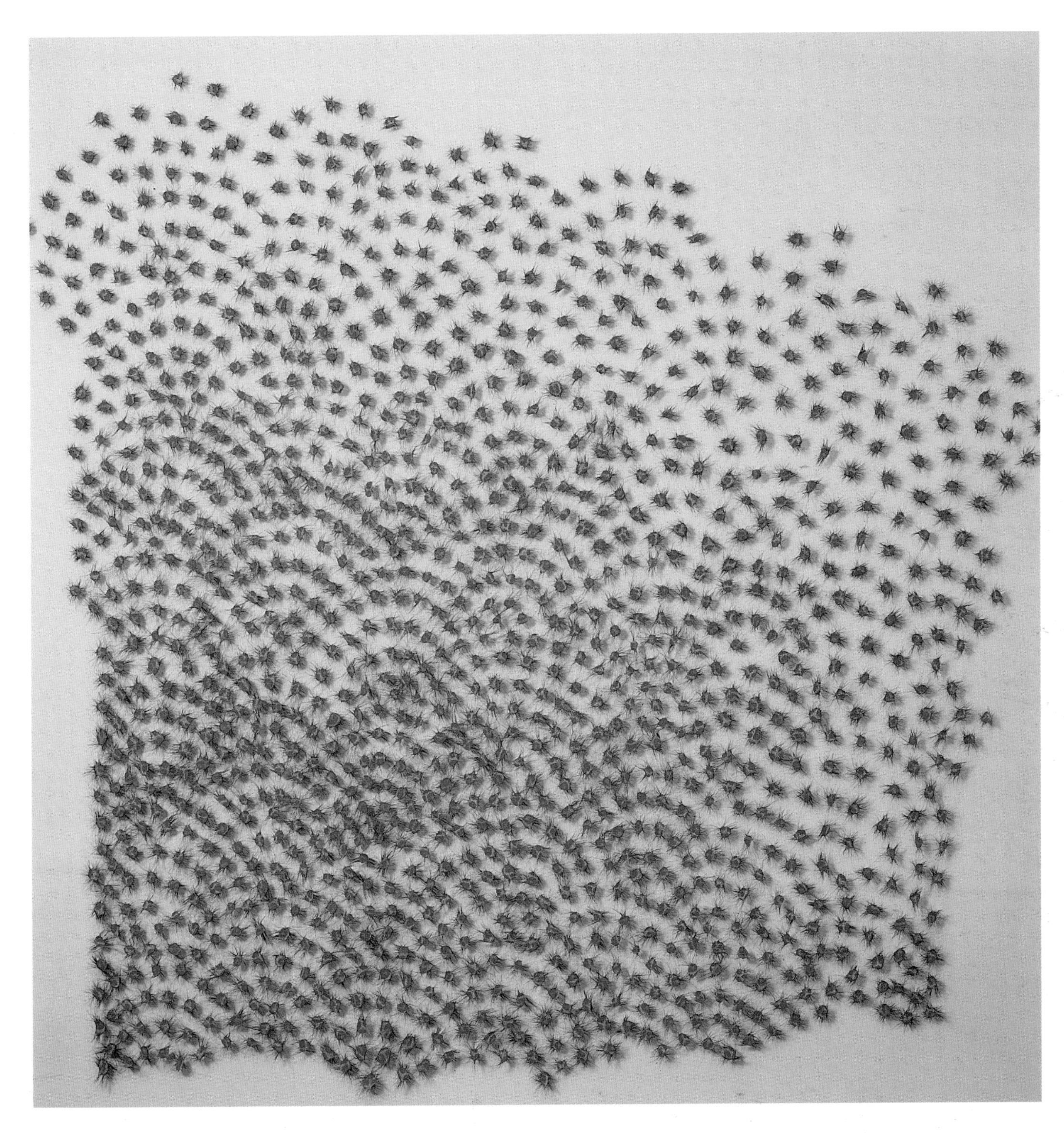

left:
Untitled (1997)
horsehair, viscose, cotton
130 x 130cm (51 x 51in)

above:
Red Dots (1998)
horsehair, cotton
255 x 260cm (100 x 102in)

For me transparency is a prerequisite. By leaving some space between the structure and the wall the object is freed from its background and interacts with the white wall. It becomes what I call a 'spatial drawing'.

Untitled (1998)
horsehair, viscose, cotton
225 x 160cm (89 x 63in)

I am intrigued by the patterns of nature, but I never copy them. During the process of creation the structure develops and, although it evokes many associations, has a life of its own.

Born 1954, Loenersloot

Education and Awards

1977–82	Gerrit Rietveld Academy, Textile Department, Amsterdam
1994	Profiel Prize, (biannual textile prize), Profiel Foundation, Amsterdam
1995	Outstanding Prize, Lacquered Textile Contest, Komatsu, Japan
1996	The Betonac Prize, 4th International Betonac Competition, Belgium
1998	Sincol Prize, 4th International *In Our Hands* Competition, Nagoya, Japan
1999	Excellence Award, 6th International Textile Competition ITF, Kyoto, Japan
2000	West Award Nomination, KunstRAI, Amsterdam

Exhibitions: Solo

1994	Gallery Maria Chailloux, Amsterdam
1995	Museum Scryption, Tilburg
1996	Gallery Phoebus, Rotterdam
1999–2001	Gallerymateria, Scottsdale, USA
2000	Gallery Binnen, KunstRAI, Amsterdam

Exhibitions: Group

1993	International Seminar on Textile Arts, Castle Alden-Biesen, Belgium
1993	*Anticipation*, Applied Art collected by Benno Premsela, Stedelijk Museum, Amsterdam
1993	*The collection, a choice*, Stedelijk Museum, Amsterdam
1995	*Masterclass Junichi Arai*, Dutch Design Institute, Amsterdam
1996	4th International Betonac Competition, Provincial Museum of Religious Art, St.Truiden, Belgium
1996	Gallery Gallery, Kyoto, Japan
1996	*Beyond Textile*, Four Dutch Contemporary Artists, National Museum of Modern Art, Kyoto and Meguro Museum of Art, Tokyo, Japan
1997	*Common Space 2*, Central Park, Pezinok, Slovakia
1997	*Cloth*, Norwich School of Art and Design, Norwich, England
1997–2000	SOFA Chicago, Joanne Rapp Gallery/Gallerymateria, USA
1998–2001	SOFA New York, Joanne Rapp Gallery/Gallerymateria,USA
1998	*Premsela Present*, 40 designers design for a designer, Gallery Binnen, KunstRAI, Amsterdam
1998	*Standpunten*, Kunsthal, Rotterdam
1999	ITF 6th International Textile Competition, Kyoto, Japan
2000	Betonac Prize Winners, Vizo Gallery, Brussels, Belgium
2000	*Chinese Whispers*, The Study Gallery, Poole, England
2000	*Stofuitdrukking*, KCB, Bergen
2001	*De Voorstelling*, Dutch Art in the Stedelijk Palace, a selection by Queen Beatrix, Stedelijk Museum, Amsterdam

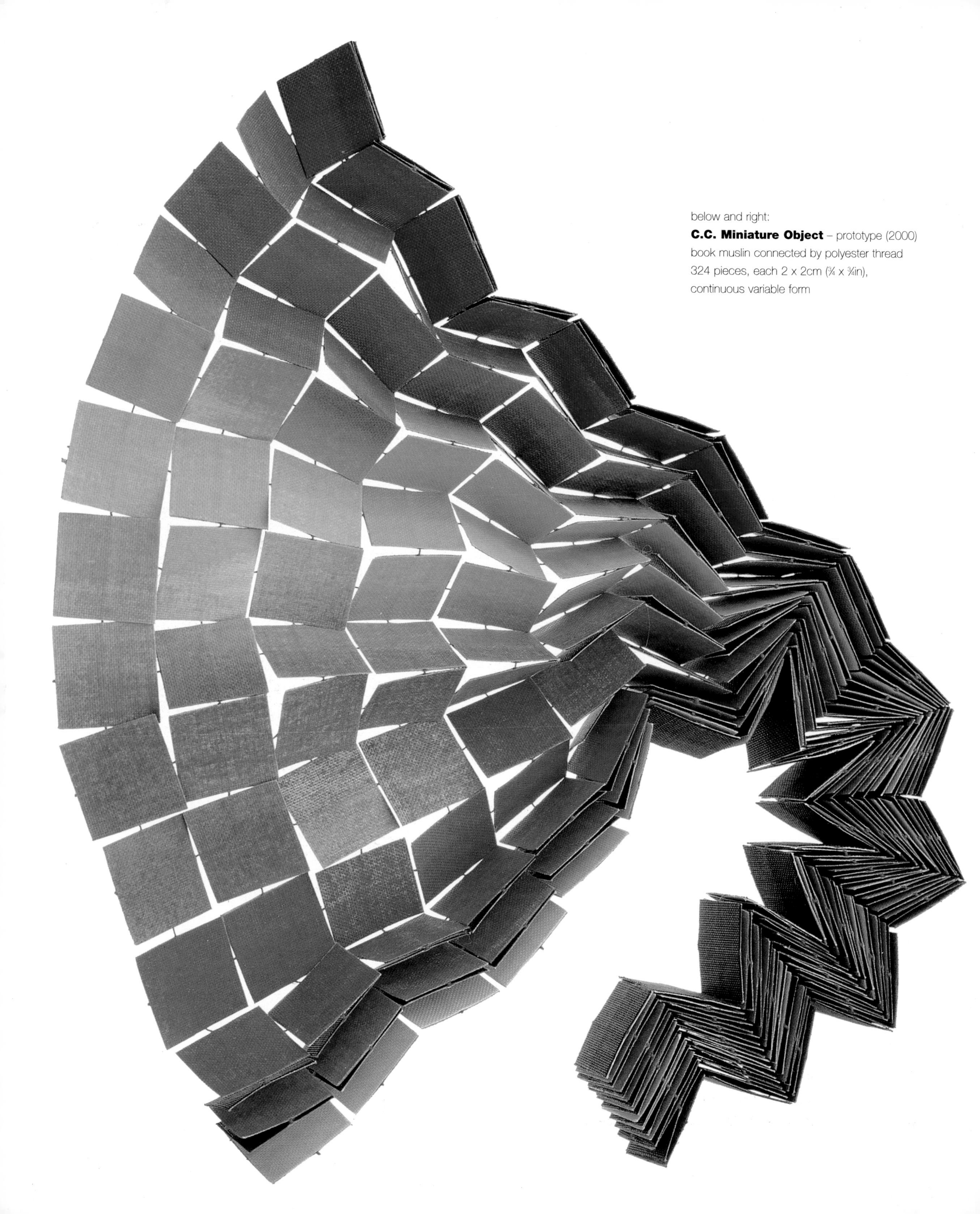

below and right:
C.C. Miniature Object – prototype (2000)
book muslin connected by polyester thread
324 pieces, each 2 x 2cm (¾ x ¾in),
continuous variable form

Nel Linssen

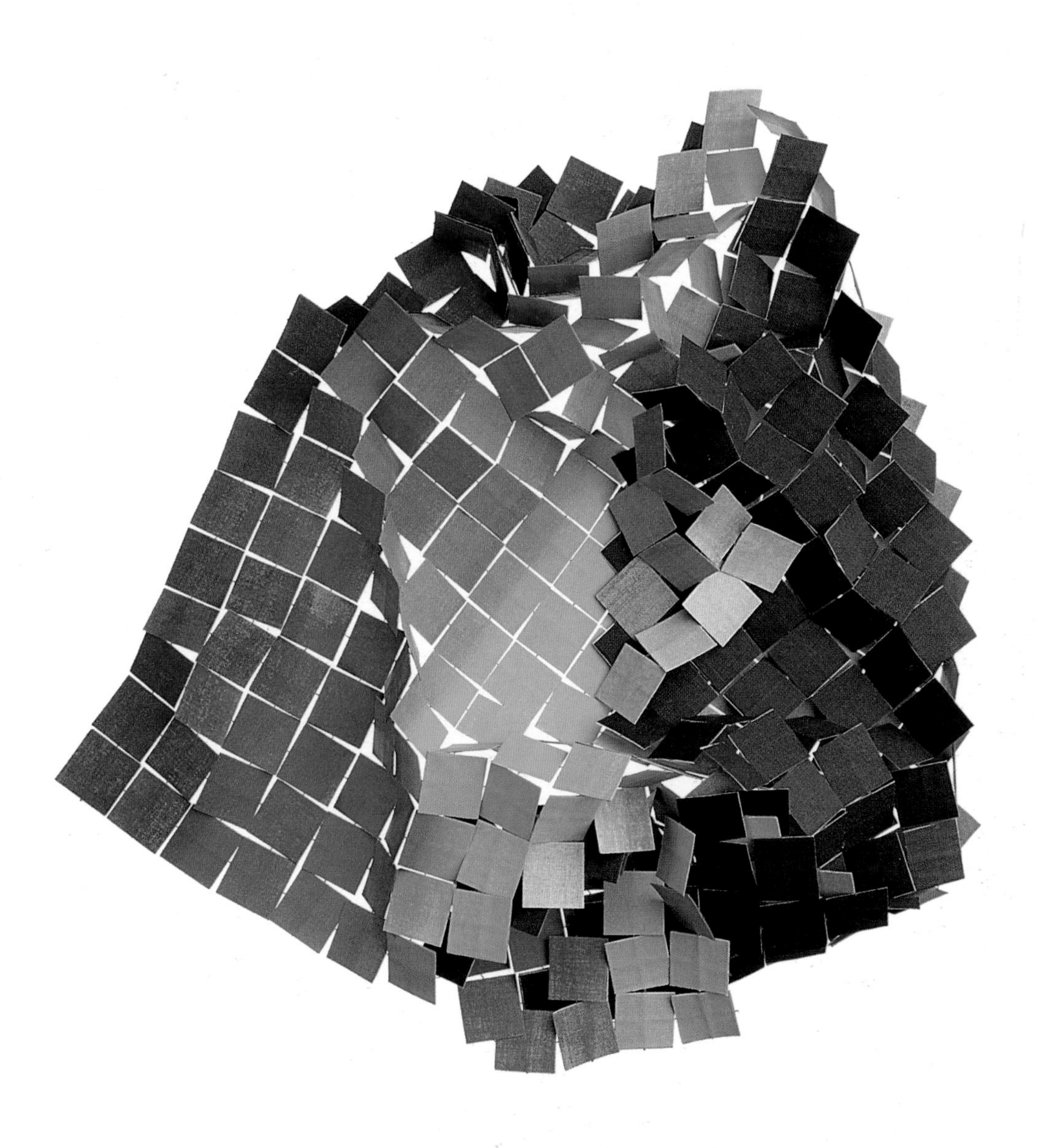

The *C.C. Miniature Object* is a new version of the original *Carte Carrée* (1981). The final version is made of 400 tiny squares of paper.

Tower 1 – study for object (1989)
folded strips of paper connected by steel wire
24 x 12 x 1.5cm (9½ x 5 x ½in)

In the development of my ideas the use of paper as a means of expressing myself was an obvious choice. As a material, it possesses a lot of qualities that are useful to me. Moreover, the tactile qualities of paper are important in connection with wearable objects. I make use of industrially manufactured paper and, as to colour and quality, I depend on what is on offer wholesale. There proved to be only one kind that I could use: Elephantenhaut, a cover paper from the collection of Bührmann-Ubbens. I still use this paper. In my recent quests to find the right paper and after innumerable experiments I have always come back to it. For only one series of jewellery did I make use of reinforced kraft.

The reason for a new type of research is often quite coincidental. Struck by a certain form of material, I start a quest in which an interaction of thought and action arises in order to attain a useful concept. Finding the appropriate technical solutions is an important challenge in connection with this. In 1994 a collection of paper jewellery came about in direct consequence of experiments with ceramics during a period of working at the European Ceramics Work Centre in 's-Hertogenbosch, The Netherlands.

At first I limited myself to using carefully cut narrow strips of paper, but the subsequent constructions are made of layers of more or less circular loose elements. Nearly always the folding is an essential element of the whole construction.

Bij de ontwikkeling van mijn ideeën kwam papier vanzelfsprekend als uitdrukkingsmiddel aan de orde. Als materiaal heeft het voor mij goed bruikbare eigenschappen. Bovendien zijn de tactiele waarden van het papier van belang waar het draagbare objecten betreft. Ik maak gebruik van industrieel vervaardigd papier en ben voor kleur en kwaliteit afhankelijk van het aanbod bij de groothandel. Er bleek maar één voor mij bruikbare soort te bestaan: Elephantenhaut, een omslagpapier uit de collectie van Bührmann-Ubbens. Van dit papier maak ik nog steeds gebruik. Bij latere onderzoeken ben ik er na talloze experimenten steeds weer op terug gekomen. Voor maar één serie sieraden maakte ik gebruik van gewapend kraft.

De aanleiding voor een nieuw onderzoek doet zich vaak toevallig voor. Getroffen door een bepaalde vorm of materie begin ik een zoektocht waarbij er een wisselwerking ontstaat van denken en doen om tot een bruikbaar concept te komen. Het vinden van de juiste technische oplossingen is daarbij een belangrijke uitdaging. In 1994 is er een collectie papieren sieraden tot stand gekomen als direct gevolg van experimenten met keramiek, tijdens een werkperiode in het Europees Keramisch Werk Centrum in 's-Hertogenbosch.

In het begin maakte ik uitsluitend gebruik van nauwkeurig gesneden smalle repen papier. De latere constructies bestaan uit stapelingen van min of meer cirkelvormige losse elementen. Bijna altijd is het vouwen een belangrijk gegeven in het totaal.

My *Tower* objects, made from folded paper strips, are small studies inspired by Gaudi's *Sagrada Familia* in Barcelona.

Marian Smit

I like working three-dimensionally and as austerely and simply as possible. Structures, rhythms and transparency are the elements that occupy me most.

above:
Für Elise (1997)
music paper, copper wire, pins
20 x 20 x 5cm (8 x 8 x 2in)

left:
Nine Stones (2001)
paper, steel rods
18 x 18 x 18cm (7 x 7 x 7in)

At primary school the subject I absolutely detested was Needlework. It was only after I had finished my secondary education that I became interested in textiles. At my teacher training college I was taught all sorts of techniques that I occasionally still apply. It was not until I went to textile exhibitions – particularly the foreign ones – that I became acquainted with the work of artists who worked with paper, such as Guy Houdouin and Joanne Mattera. Tentatively, I started to experiment with this material. I noticed how paper gave me more freedom than textile; the latter had dominated me instead of the other way around. Slowly but surely paper replaced textile in my work.

I do not want to manufacture my own paper as such a lot of beautiful paper is available, like the paper to be found in colourful fashion magazines. I kept rolling up fragments of that type of magazine paper, thus forming small elements, to be connected by brass wire into spacial structures. I like working three-dimensionally and as austerely and simply as possible. Connecting as many as a few hundred tiny rods can be quite a monotonous job, yet it remains exciting to see how closely I can reach the realisation of my ideas.

Structures, rhythms and transparency are the elements that occupy me most. I tried to work in black or white only, but colours turned out to be indispensable to me.

Op de lagere school had ik de grootste hekel aan het vak handwerken, pas na de middelbare school raakte ik in textiel geïnteresseerd. Op de lerarenopleiding textiel heb ik alle mogelijke technieken geleerd. Soms pas ik ze nog toe. Op textieltentoonstellingen zag ik voor het eerst ook werk van papierkunstenaars zoals Guy Houdouin en Joanne Mattera. Voorzichtig begon ik met dit materiaal te experimenteren. Ik merkte dat papier mij meer vrijheid liet dan textiel; textiel was mij de baas in plaats van andersom. Geleidelijk begon papier de plaats van textiel in te nemen.

Zelf papier maken is niets voor mij. Er is zoveel mooi bestaand papier, bijvoorbeeld dat van kleurrijke modetijdschriften. Ik heb van dit tijdschriftenpapier eindeloos rolletjes gemaakt. Met koperdraad bouwde ik van deze elementjes ruimtelijke structuren. Ik werk graag ruimtelijk en zo strak en eenvoudig mogelijk. Het verbinden van vaak honderden staafjes is vaak erg eentonig werk, maar het blijft spannend om te zien hoe dicht ik mijn idee kan benaderen.

Structuren, ritmes en transparantie zijn de elementen die mij vooral bezig houden. Ik heb een periode in zwart of wit gewerkt, maar blijk kleur toch niet te kunnen missen.

Flying Impossible I (1999)
paper, copper wire, crayon
20 x 25 x 5cm (8 x 10 x 2in)

Flying Impossible II (1999)
paper, plastic, steel sprung wire, beads
20 x 20 x 20cm (8 x 8 x 8in)

Being both
free and attached mathematically and
organically organised and disordered
loose and tight
that makes flying
so impossible.

Born 1944, Wassenaar

Education and Awards

1969–70 Gerrit Rietveld Academy, Amsterdam
1972–6 Academy for Professional Textile Education, Amsterdam
1999 1st prize winner, 3rd Triennale Internationale Papier, Charmey, Switzerland

Exhibitions: Solo

1993 Gallery 't Oude Raadhuis, Hoofddorp
1995 Theater De Lampegiet, Veenendaal
2001 Gallery Gallery Kyoto, Japan
2002 4th Triennale Internationale Papier, Charmey, Switzerland

Exhibitions: Group

1990–97 Art-route Westelijke Eilanden, Amsterdam
1992/8 9th and 12th Miniart Textile Biennial, Szombathely, Hungary
1993/6/9 1st, 2nd and 3rd Triennale Internationale Papier Vivian Fontaine, Charmey, Switzerland
1994 De Papiermanifestatie, Museum Rijswijk, Rijswijk
1994/9 Miniartex, Como, Italy
1995 *Met de muziek mee*, Textiel Plus, Museum Van Speelklok tot Pierement, Utrecht
1996 *Kunst aan Huis*, Art-route Edam
1996 Paper event Iapma, Denmark
1996/7 Gallery Per Expres, Amsterdam
1997 Gallery d'Egelantier, Amsterdam
1997 Arte Contemporama Olandese, Italy
1997/8 Gallery Posthuys, De Koog, Texel
1998 Papier Biennale, Museum Rijswijk, Rijswijk
1999 *Een velletje papier*, Cultureel Centrum, Genk, Belgium
2000 International *In Our Hands*, Nagoya, Japan

Commissions

1992 VNU Publishers, Amsterdam
1993 Albert Heijn, Zaandam

Publications

1997 Beata Thackeray, *Paper*, Conran Octopus Limited
1999 Gabrielle Falkiner, *Paper, an Inspirational Portfolio*, Watson-Guptil Publications

Work in Collection

Town hall, Hoofddorp
VPRO broadcasting, Hilversum
Musée du Pays et Val de Charmey, Switzerland

Wilma Kuil

Eurhythmics III (1997)
one of a series of three pieces
cutting in canvas, patterned fabric
40 x 40cm (16 x 16in)

Flower Stairs, Vlaardingen (1996)
Terrazzo
25 x 8 x 5m (10 x 3 x 2in)

The design for these stairs is made of patterned materials and transposed and executed in terrazzo. The motive shifts from dark at the top to light at the bottom. The stairs can be seen as a life cycle.

Living Room Still Life Curtain (1998)
Flower Still Life Curtain (1998)
digital prints on fabric, pictured with the artist
both 330 x 390cm (11 x 13ft)

I took snapshots with a digital camera and had them printed on large pieces of fabric. In this way curtains were created in which one can look at still lifes.

I buy a lot of fabrics, preferably with floral patterns. Wherever I go, I cannot pass by a fabric shop or a market. When a fabric captures my attention I buy it. Sometimes these fabrics lie in my studio for years. They often pass through my hands. Suddenly the moment arrives when I see an image in them. This image arises from the associations the material calls forth, but also from the atmosphere and emotion I am open to at that moment. I draw the image on paper and transpose it onto the fabric.

In this way several series came into being, among them pieces with self portraits, *Headscarves*, *Tulips*, on materials with tulip prints and on the fabrics used for traditional Dutch costumes. My work is about transitoriness, about memories, about the memory of my youth, my parents and my brothers and sisters. These memories were the reason I made the series *Family Portraits*. The still life is also a favourite subject, which returns regularly in my work. I have made still lifes in which I quote old masters who are famous for their still life paintings, like Davidsz de Heem and Dirck van Delen.

In more recent work I have been looking for 'contemporary still lifes'. In the course of this search I rang at the doors of a number of people chosen at random and asked if they would let me into their houses in order to take photographs of their still lifes. Most people were not aware of having still lifes in their houses. I took snapshots with a digital camera and had those printed on large pieces of fabric. In this way curtains were created in which one can look at still lifes. My work is about layers; in my latest work these layers appear literally. At the moment I am creating my own patterns; I print photos I have taken myself, on heavy satin and transparent organza. The new series of work, which has arisen from this, is about portraits. Whenever I look at it I feel that it is still about memory. Thus my work has reached a new stage, a development, which is very exciting.

In addition to my autonomous work I also do applied work, commissioned work. An example of this is the *Flower Stairs*. I designed these stairs on the basis of patterned fabrics. I transposed this design into terrazzo motifs and the architecture of the stairs. Terrazzo is a beautiful and durable material. The stairs, which have been realised in the open air in a shopping centre, look wonderful. As regards content, my work is continually developing, with textile as a surprising constant.

Ik koop veel stoffen, het liefst met bloemmotieven. Waar ik ook kom, kan ik niet voorbij lopen aan een stoffenwinkel of markt. Wanneer ik geboeid ben door een stof koop ik er wat van. Soms liggen de stoffen jarenlang op mijn atelier, ze gaan dan vaak door mijn handen. Dan is daar plotseling het moment dat ik er een beeld in zie, dat beeld ontstaat dan door de associatie die de stof oproept maar ook de sfeer en emotie waar ik op dat moment voor open sta. Dat beeld teken ik op papier en transformeer het naar de stof.

Op deze manier zijn er series ontstaan, waaronder lappen met zelfportretten, zoals de *Hoofddoekjes* en de serie *Tulpen* op stoffen met tulpenprints en op de traditionele klederdrachtstoffen die Nederland rijk is. Mijn werk gaat over vergankelijkheid, over herinneringen, de herinnering aan mijn jeugd, mijn ouders, mijn broers en zusters. Naar aanleiding van deze herinneringen heb ik de serie *Familieportretten* gemaakt. Het stilleven is ook een geliefd onderwerp dat regelmatig terugkeert in mijn werk. Ik heb stillevens gemaakt waarbij ik oude meesters, die beroemd zijn om hun stilleven schilderijen, heb geciteerd, onder wie Davidsz de Heem en Dirck van Delen.

In recenter werk ben ik op zoek gegaan naar het 'hedendaags stilleven'. Voor deze zoektocht heb ik bij willekeurige mensen aangebeld en gevraagd of ik binnen mocht komen om hun stillevens te fotograferen. De meeste mensen waren zich er niet van bewust dat ze stillevens in huis hadden. Ik maakte snapshots met de digitale camera en liet die printen op grote lappen stof. Op deze manier ontstonden er gordijnen waarin je naar stillevens kunt kijken. Mijn werk gaat over gelaagdheid, deze gelaagdheid komt in mijn nieuwste werk letterlijk aan bod. Op dit moment creëer ik mijn eigen patronen, ik print door mijzelf gemaakte foto's op dekkende satijn en transparante organza. De transparante laag gaat over een dekkende laag. De nieuwe serie werk, die hieruit is ontstaan, gaat over portretten. Wanneer ik er naar kijk voel ik dat het nog steeds gaat over de herinnering. Het werk is op deze manier in een nieuwe ontwikkeling terechtgekomen, een ontwikkeling die heel spannend is.

Naast mijn autonome werk maak ik ook toegepast werk; werk in opdracht. Een voorbeeld hiervan is de *Bloementrappen*. Het ontwerp voor deze trappen heb ik gemaakt op basis van gedessineerde stoffen. Dit ontwerp heb ik vertaald naar terrazzo motieven en de architectuur van de trap. Terrazzo is een mooi en duurzaam materiaal; de trappen die in de openlucht in een winkelcentrum gerealiseerd zijn, liggen er prachtig bij. Inhoudelijk is mijn werk steeds in ontwikkeling, daarbij is textiel een verrassende constante.

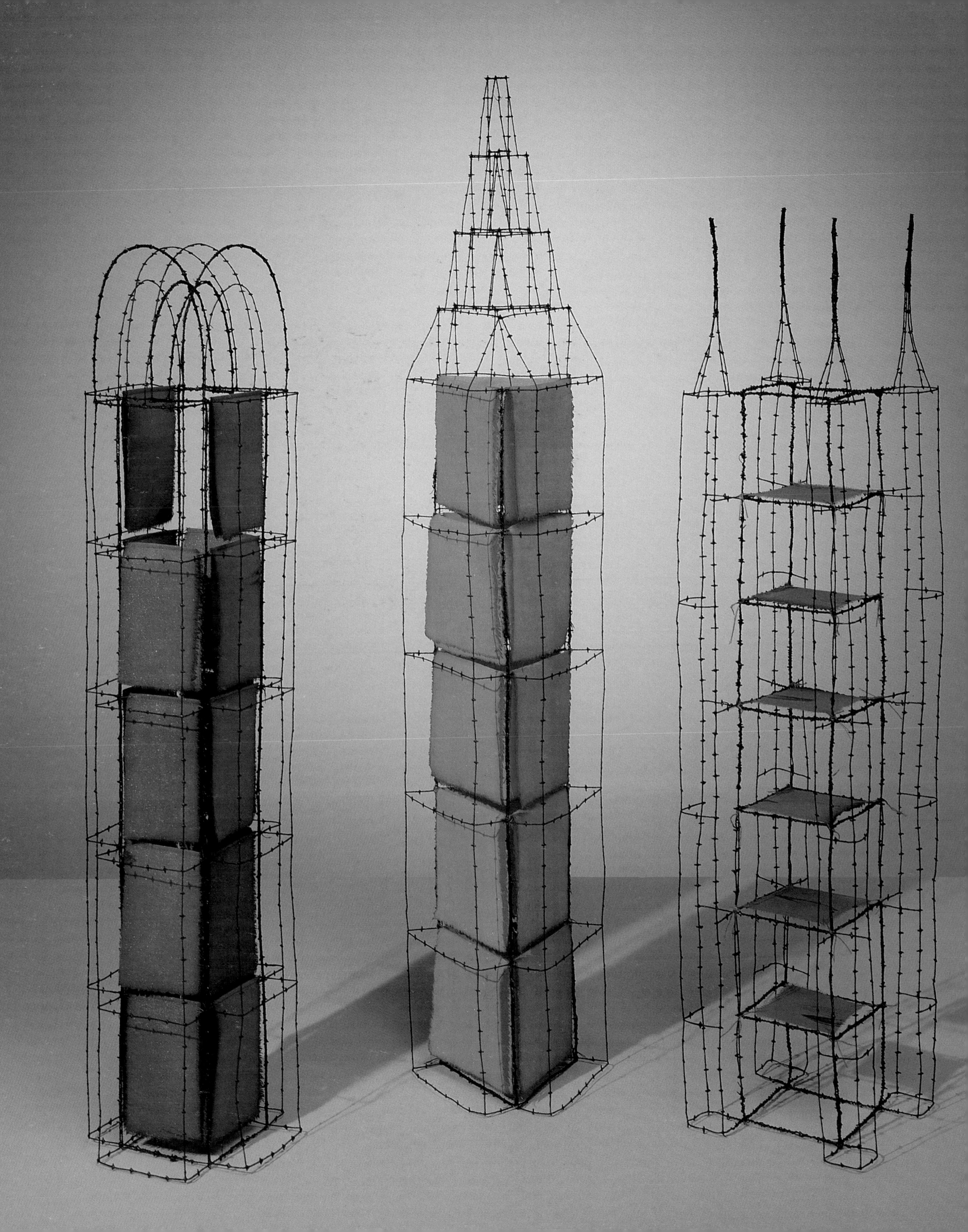

Karola Pezarro

Fragile constructions bare squares of paper or little piles of fabric. A personal architecture, carrying a memory of journeys and a longing for lightness.

above:
Red Pile (1991)
painted cotton lawn, zinc, brass
height 16cm (6in)

left:
Untitled (1988)
painted cotton lawn, wire, lacquer
height 60cm (2ft)

I would prefer to tell my story just in images as I often experience words as something too much. Yet I have written down some thoughts and associations in connection with my work.

What strikes me in my own approach to my work is the apparent contradictions which go hand in hand, in a natural manner: fragility and strength, solidity and transparency, playfulness and reasoning, systems and irregularities.

When I start working it is of importance to me to cut out thinking – at least I don't think rationally but to try to be like a child at play. Open-minded, dreamy, far from the hustle and bustle. At the same time I work systematically, step by step: I count, I distribute, I create order. However, I draw a straight line off the cuff (so not exactly straight), a distribution is 'approximate' and I permit my material to be irregular in its own way. Those irregularities within a system are essential. They must be there, even if I direct them hardly or not at all.

I like to work all by myself, in my own world, but I am also fond of working on a commission together with others and I just love to react to the outside world in an expressive statement. In both cases I create my own metaphors in order to understand, and to respond to, a situation.

Small drawings, mostly pen and ink ones: scarcely a day goes by without my doing those. They are mostly locked up in booklets or boxes, together with the photographs that also serve as notes. The drawings often deal with the struggle to create structure, with constructions, flights of fancy, with the theme of a commission, sources of life in contrast with death, reminiscences. For my installation *Open Work – Diary* (1999), drawings were taken out of their hiding places, enlarged, sawn out, painted and, as a spatial open work, suspended from wires, like spiritual laundry on washing lines.

't Liefst zou ik mijn verhaal alleen met beelden vertellen. Woorden ervaar ik vaak als een 'teveel'. Toch heb ik hieronder enkele gedachten en associaties met betrekking tot mijn werk opgeschreven.

Wat opvalt, denk ik, in mijn manier van werken zijn schijnbare tegenstellingen die toch op een vanzelfsprekende wijze hand in hand gaan: fragiel en sterk, massa en transparantie, spelen en beredeneren, systemen en onregelmatigheden.

Wanneer ik aan het werk ga is het belangrijk om niet te denken, in ieder geval niet rationeel te denken. Ik probeer te zijn zoals een kind dat speelt. Onbevangen, dromerig, weg uit de drukte. Tegelijkertijd werk ik in systemen, stap voor stap. Ik tel, ik verdeel, ik orden. Maar een lijn zet ik recht op het oog – niet echt recht dus –, een verdeling is 'ongeveer', een materiaal laat ik onregelmatig op zijn eigen manier. De onregelmatigheden binnen een systeem zijn belangrijk. Ze moeten er zijn, ook al stuur ik ze niet of nauwelijks.

Ik werk graag alleen, in mijn eigen wereld. Toch werk ik ook graag in opdracht, met andere mensen. Ik hou er van met een – beeldende – uitspraak op de buitenwereld te reageren. Ik schep dan eigen metaforen om een situatie te begrijpen en er een antwoord op te geven.

Bijna dagelijks maak ik kleine tekeningen, pentekeningen. Meestal berg ik ze op in boekjes en in dozen. Samen met fotos, die ook als aantekeningen fungeren. De tekeningen gaan bijvoorbeeld over het proberen ergens structuur in aan te brengen, over constructies, over fantasieën, over de thematiek van een opdracht, over bronnen van leven tegenover de dood, over herinneringen. Voor de installatie *Ajour – Dagboek* (1999) heb ik tekeningen tevoorschijn gehaald, vergroot, uitgezaagd, geschilderd en als een ruimtelijk ajour opgehangen aan metalen draden, als een spirituele was aan waslijntjes.

Black Gate (1991)
painted cotton lawn, wood, metal
height 20cm (8in)

The gate invites you to enter a different world. Fragile and strong go together. Just like mass and transparency and playing and reasoning. Calibrations are always well balanced but never exact. One finds small irregularities and shifts everywhere.

Marijke Arp

A Cloud of Butterflies (1996), detail
tyvek, transparent foil, threads
400 x 200 x 200cm (13 x 6½ x 6½ft)

One poppy is beautiful, but a field full of scarlet poppies is fascinating.

One person shouting with joy attracts attention, but an exultant crowd makes a deep impression.

A Waterfall of Words (1996)
transparent foil, threads, paper
200 x 50 x 35cm (79 x 20 x 14in)

DNA, Unique (2000)
transparent foil, paper, threads
144 x 168 x 4cm (57 x 66 x 1½in)

Sometimes, I accidentally discover a new material, for example like I did with tyvek. One sunny summer day, on one of the beaches here in the Netherlands, there was a kite show with all kinds of kites. These kites had been created out of tyvek, a strong synthetic material, rustling like paper and looking like a woven material. Once I had seen and touched this material, I knew for sure that I wanted to work with it. I get a kick out of a discovery like that.

My plexiglass objects are composed of geometrical shapes. The transparency of the synthetic material allows for playing with space and light, which would have been impossible with opaque, more solid materials. Close by, one gets lost in the teeming elements, but from a distance one discovers the optical play of light and shade. A lot of my work has been provided with many small plexiglass rods wrapped round in cotton threads, placed at equal distances from each other. The tips of these rods often light up as shiny needles, reminding one of a field full of waving corn. The little, free hanging threads create a pattern of lines that seems to embody both order and chaos.

I'll always be loyal to two principals. The first is trapping the opposites in the materials; the second is that the materials that have been used must not lose their separate identity. Paper remains recognisable as such and threads are respected as natural material. Moreover, loose fibres may create those little surprises that can't be foreseen but arise accidentally. Still, the maker's 'handwriting' must remain recognisable. At the moment I am designing a collection of small objects and jewellery, by commission. Within prism-shaped elements made from semitransparent foil I hide little packets made of synthetic material, containing metal, coloured paper or horsehair, to accentuate mysteriousness.

All my work, whether large or small, has been constructed from elements. Those elements consist of various materials that are mostly printed, decorated or embroidered; these carefully collected elements together form the object:

Hundreds of butterflies together forming a cloud in *A Cloud of Butterflies*.

Hundreds of signs in *Secret Code*.

A collection of hundreds of elements represents a face in *DNA, Unique*.

A collection of a thousand squares forming *The Icon Mantle*.

Words flowing out of a book sculpture in A *Waterfall of Words*.

Soms kom ik door een toeval op het spoor van nieuw materiaal. Zoals bijvoorbeeld tyvek. Op een prachtige zomerdag aan de kust van Nederland was er een vliegerfeest met allerlei vliegers. Die vliegers waren gemaakt van tyvek, een sterke synthetische stof die ritselt als papier en lijkt op een geweven stof. Toen ik dit materiaal eenmaal had gezien en gevoeld wist ik dat ik hiermee wilde gaan werken. Zo'n ontdekking geeft mij een 'kick'.

Mijn objecten van plexiglas zijn opgebouwd uit geometrische vormen. De doorzichtigheid van de kunststof maakt een spel met ruimte en licht mogelijk dat met niet doorzichtige, meer massieve materialen onmogelijk geweest zou zijn. Van dichtbij kom je om in het gekrioel van de elementen, maar op enige afstand ontdek je het optische spel van licht en schaduw. Veel van mijn werken zijn voorzien van op gelijke afstand geplaatste plexiglas staafjes omwikkeld met katoendraad. De toppen van deze staafjes lichten soms op als heldere naalden die doen denken aan een veld vol halmen. Door de loshangende draadjes ontstaat een lijnenspel dat zowel orde als chaos lijkt te verenigen.

Aan twee principes blijf ik altijd trouw. Het eerste is het vangen van tegenstellingen tussen de materialen, het tweede is dat verwerkte materialen hun identiteit niet mogen verliezen.

Papier blijft als papier herkenbaar en draden worden als natuurlijk materiaal gerespecteerd. Bovendien kunnen losse draden voor dié kleine verrassingen zorgen die niet te beredeneren zijn maar toevallig ontstaan. Het 'handschrift' van de maker moet echter wel herkenbaar blijven. Momenteel ontwerp ik in opdracht een collectie kleine objecten en sieraden. In prismavormige elementen van halftransparante folie verberg ik kleine pakjes van kunststof met metaal, papier of paardenhaar om geheimzinnigheid te accentueren.

Al mijn werken, groot of klein, zijn opgebouwd uit elementen. Die elementen zijn weer opgebouwd uit diverse materialen, bedrukt, beschilderd of bestikt. Deze zorgvuldig verzamelde elementen samen vormen het object:

Honderden vlinders samen vormen een zwerm in *A Cloud of Butterflies*.

Honderden tekens in *Geheimschrift*.

Een verzameling van honderden elementen geeft een gezicht weer in *DNA, Uniek*.

Een verzameling van duizend vierkantjes vormt *De* Iconen Mantel.

Talloze woorden overvloedig stromend uit een boeksculptuur in *Een Waterval van Woorden*.

Sonja Besselink

left:
Plexiglass Object (1999)
screen print ink, engraved and painted lines
40 x 14 x 14cm (16 x 5½ x 5½in)

right:
Scale Model for Wall Sculpture (1989)
acrylic paint, perspex
260 x 330cm (102 x 130in)

– discussing my creations
is something I have always tried
to avoid as much as possible –

'Thread is line' was the headline of an article written about my work by a museum curator. I have always been fascinated by 'threads'. Textile threads developed into 'threads' etched in plexiglass by way of twisted paper, electric wire and bamboo canes.

After my textile period my 'thread', now an electric wire or bamboo cane, became independent as I made it stand erect in perspex cubes or placed it in a space. Square and rectangular fragments of paper were attached to it. I always started out from white to which a primary colour was added.

My lines suggest motion,
at the moment of recognition,
they move us.

In the end only the essence of the thread remained: the thread became a line sketched freehand on perspex. The horizontally and vertically etched lines suggest 'fabric'.

My white has become transparent. I etch or engrave linear structures on loose sheets of perspex, filling them in with acrylic paint in primary colours. Together these sheets of perspex create big mural objects, often done in commission.

– spreken over mijn kunstwerken
heb ik altijd zo veel mogelijk
trachten te vermijden –

'Draden' hebben mij altijd geboeid. 'Draad is lijn' kopte een artikel van een museumconservator over mijn werk. De ontwikkeling ging van textiele draden via gedraaid papier, elektriciteitsdraad en bamboestokken naar geëtste 'draden' in plexiglas.

Na de textiele periode verzelfstandigde ik de 'draad'. Bijvoorbeeld door elektriciteitsdraad of bamboestokken rechtop te laten staan in perspex kubussen of te plaatsen in een ruimte. Vierkante en rechthoekige flapjes papier of tape werden eraan bevestigd. Altijd werkend vanuit het wit, waaraan een primaire kleur werd toegevoegd.

Mijn lijnen suggereren beweging,
op het moment van herkenning,
bewegen ze ons.

Uiteindelijk bleef voor mij alleen de essentie van de draad over. De draad werd een uit de hand geëtste lijn op perspex. De horizontaal en verticaal geëtste lijnen suggereerden 'stof' te zijn.

Het wit is transparant geworden. Op losse platen perspex ets of graveer ik lineaire structuren, die in primaire kleuren met acrylverf worden ingekleurd. Samen vormen de platen perspex grote wandobjecten, vaak in opdracht uitgevoerd.

I have always been fascinated by 'threads'. Textile threads developed into 'threads' etched in plexiglass by way of twisted paper, electric wire and bamboo canes.

Untitled (1983)
paper and linen threads in perspex box
40 x 30 x 20cm (16 x 12 x 8in)

Born	1946, Amsterdam

Education and Awards

	self-taught
1988	1st prize winner, 7th International Textile Biennial, Szombathely, Hungary

Exhibitions

1977	8th International Textiles Biennial, Lausanne, Switzerland
1978	Stofwisselingen, Frans Hals Museum, Haarlem
1980	Structuren, International Textiles Exhibition, Kortrijk, Belgium
1981	Fodor Museum, Amsterdam
1982	Stedelijk Museum, Amsterdam
1983	Stedelijk Museum, Alkmaar
1984	Textiel Nu 14, Nederlands Textielmuseum, Tilburg
1987	Stedelijk Museum, Amsterdam
1988	Frans Hals Museum, Haarlem
1989	KunstRAI, art objection as distinction, Amsterdam
1990	Signalement, Nederlands Textielmuseum, Tilburg
1992	Suntory Art Museum, Tokyo, Japan
1993	Stedelijk Museum, Amsterdam
1994	Stedelijk Museum, Alkmaar
1994	Stedelijk Museum, Amsterdam
1995	Nederlands Textielmuseum, Tilburg
1996	Social Insurance Bank, Amsterdam

Commissions

1986	Royal Shell, The Hague
1989	Mees Pierson Bank, Amsterdam
1990	Profielprijs (1990 – 1998), Amsterdam
1995	VGZ, Nijmegen
1996	NOG Insurance Company, Amsterdam

Professional

1998 –	Art director of art event Kunst op Kamers, De Rijp

Work in Collection

Stedelijk Museum, Amsterdam
Nederlands Textielmuseum, Tilburg
Stedelijk Museum, Alkmaar
Province North Holland, Haarlem

Plexiglass Objects (1987)
engraved lines (threads) in perspex and acrylic paint
40 x 14 x 14cm (16 x 5½ x 5½in)

I have always wanted to be open about my textile background, making it clear that my roots are in working with textile and that this has been of crucial importance for the development of my work. Without that background my work would never have been what it is now.

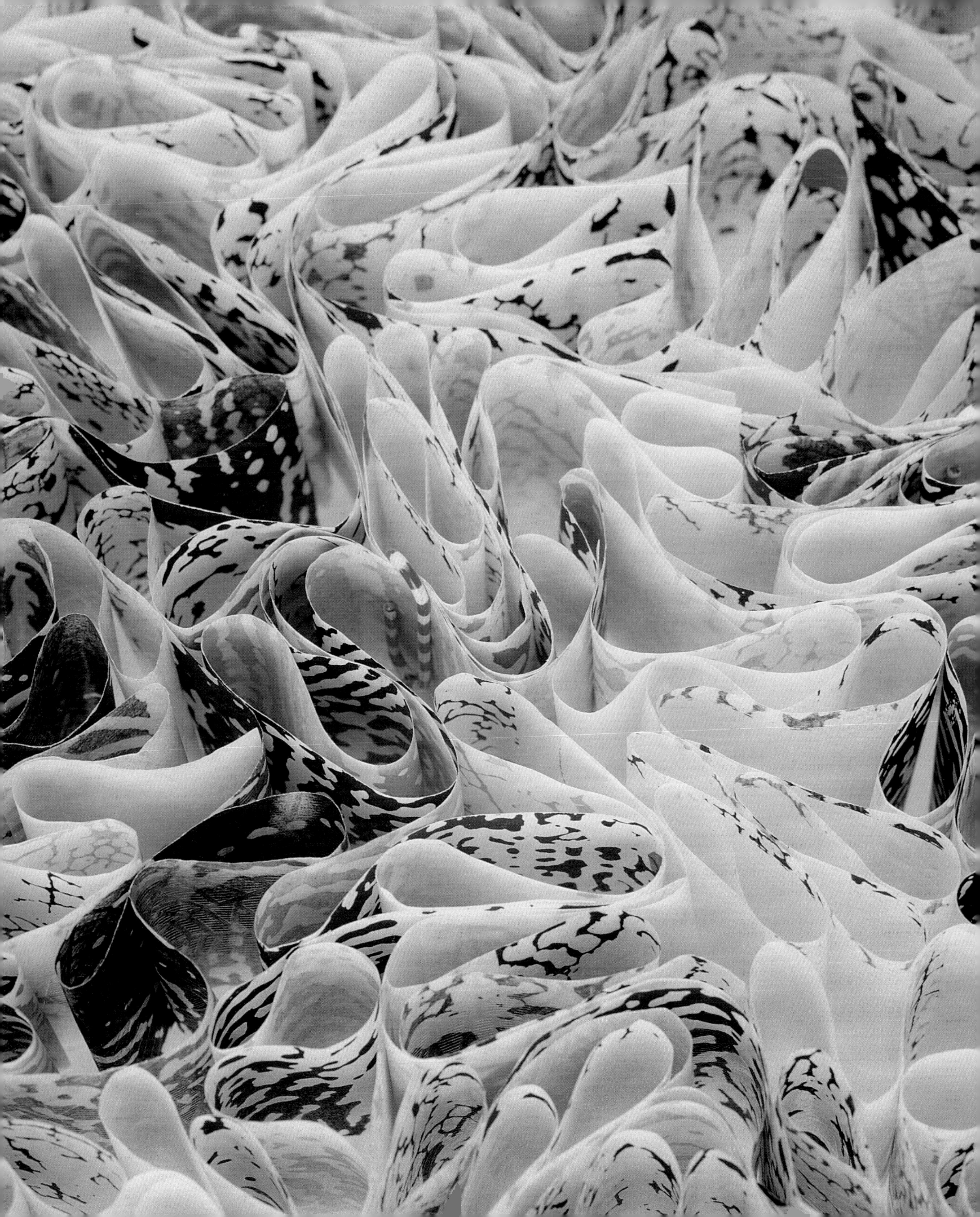

Maryan Geluk

left:
Transparent Labyrinth (2000), detail
paper, paint
23 x 23 x 5cm (9 x 9 x 2in)

right:
Br@ins (2000)
mixed media
21 x 21cm (8 x 8in)

The three-dimensional transparent paper strips produce a play of lines, creating light and shadow and suggesting a continuous movement.

People who are admirers of my work experience it as Japanese.

Never having seen Japan, my visual artwork induced me to spend quite some time in that country. Deeply touched by Japanese society I became acquainted with Zen Buddhism and Shintoism. Shinto is the oldest philosophy of Japan. Shinto interests me, as it is more an attitude to life than a religion. It's aim is the purification of life, spirit and body. A purity leading to the essence of things. An essence I strive after in my life and work. Adopting the philosophies of Zen Buddhism, things are put in perspective, nothing is forced and work is just allowed to come into being. Shapes and colours respect each other, thus creating harmony and a perfectly composed entity. Harmony that can also be found in a Japanese Zen garden where the position of the sun, the way light falls, the origin of shade and the movements of people are taken into consideration.

My first works were just related to architecture and space. Architecture seen as a space with walls, floor, ceiling and corners. In my later work I have made greater use of the historical and emotional meanings of places. These meanings are, with respect to the content, important as the starting point for new work.

I work with separate elements, in the way an architect works. At first I used textiles as building material. I was inspired by the softness of textile materials opposed to the hardness of architectural materials. When using paper, the lightness, the pliability and the subtle differences in nuance gave new interpretations to the character of my work. My 'textile' background can immediately be recognised in my researches and their realisation.

Bewonderaars van mijn werk ervaren het als Japans.

Zonder dat ik ooit in Japan was geweest had mijn beeldend werk al een Japans karakter en was dat de aanleiding om daar langere tijd te werken en te wonen. Diep geraakt door de Japanse samenleving maakte ik kennis met het Zenboeddhisme en het Shintoïsme. Shinto is de oudste filosofie van Japan. Shinto is voor mij interessant, het is namelijk meer een levenshouding dan een religie. Het richt zich op het reinigen van het leven, de geest en het lichaam. Een puurheid, die leidt tot de essentie. Een essentie die ik zoek in mijn leven en werk. Het Zenboeddhisme relativeert, forceert niet, laat ontstaan. Vormen en kleuren zijn in harmonie en hebben een perfect compositorisch geheel tot gevolg. Harmonie die ook terug te vinden is in een Japanse Zentuin, waar ook wordt gewerkt met de zonnestand, de val van het licht, het ontstaan van schaduw en de beweging van de mens.

Mijn eerste werken zijn gerelateerd aan architectuur en ruimte. Architectuur als een ruimte met muren, vloer, plafond en hoeken. In later werk gebruik ik meer de historische en emotionele betekenis van plekken. Deze betekenissen zijn inhoudelijk van belang als startpunt naar een nieuw werk.

Ik werk met losse elementen, zoals een architect bouwt. In het begin gebruikte ik textiel als materiaal. De zachtheid van materiaal uit de textielwereld tegenover de hardheid in materiaal in de architectuur inspireerde mij. Bij het gebruik van papier geven de lichtheid, de vervormbaarheid en de subtiele nuanceverschillen nieuwe invullingen aan het karakter van het werk. Aan mijn onderzoekingen en de verwerking daarvan is direct mijn textiele achtergrond te herkennen.

Dynamic Ground consists of a diversity of shapes found in architecture. The shapes are covered in all kinds of old wallpaper: the wallpaper of a city. In this way an architectural landscape has come into being with subtle differences in all segments. Together they form a new town. The upper layer represents the landscape sacrificed to the city, the red parts represent the future.

Dynamic Ground (2000)
paper, wood, paint, velvet
350 x 230cm (138 x 91in)

First, there is an open space. Then there is me, the artist, exploring that space and making it my own. I open my mind to what the place tells me. Intuitively, a concept for a creation arises which activates the senses as a catalyst and reinforces the experience of time and place.

With each observer, my installations start to live a life of their own by the variety of associations. The onlooker finishes the work, each doing so in his own way. The space and my work are just instruments to bring the observer closer to himself. I want to tempt the visitor to exert himself to look with great precision.

Eerst is er een lege ruimte. Dan is er de kunstenaar die de ruimte verkent en in zich opneemt. Ik stel mij open voor wat de plek te vertellen heeft. Intuïtief ontstaat een concept voor een werk dat als een katalysator de zintuigen activeert en de beleving van plaats en tijd verhevigt.

Bij de waarnemer gaan mijn installaties een eigen leven leiden door het scala aan associaties. De kijker maakt het werk af en eenieder zal dat op zijn eigen wijze doen. De ruimte en mijn werk zijn slechts een instrument om de waarnemer dichter bij zichzelf te brengen. Ik wil de bezoeker verleiden om zich in te spannen heel precies te kijken.

Natural light, subtle movement and transformation are always part of my explorations. My objects move, breathe. Movement that is reinforced when the observer walks around the work.

Green Ground (1993), detail
paper, ink, rubber
1500 x 100/155 x 5cm (591 x 39/61 x 2in)

Hil Driessen

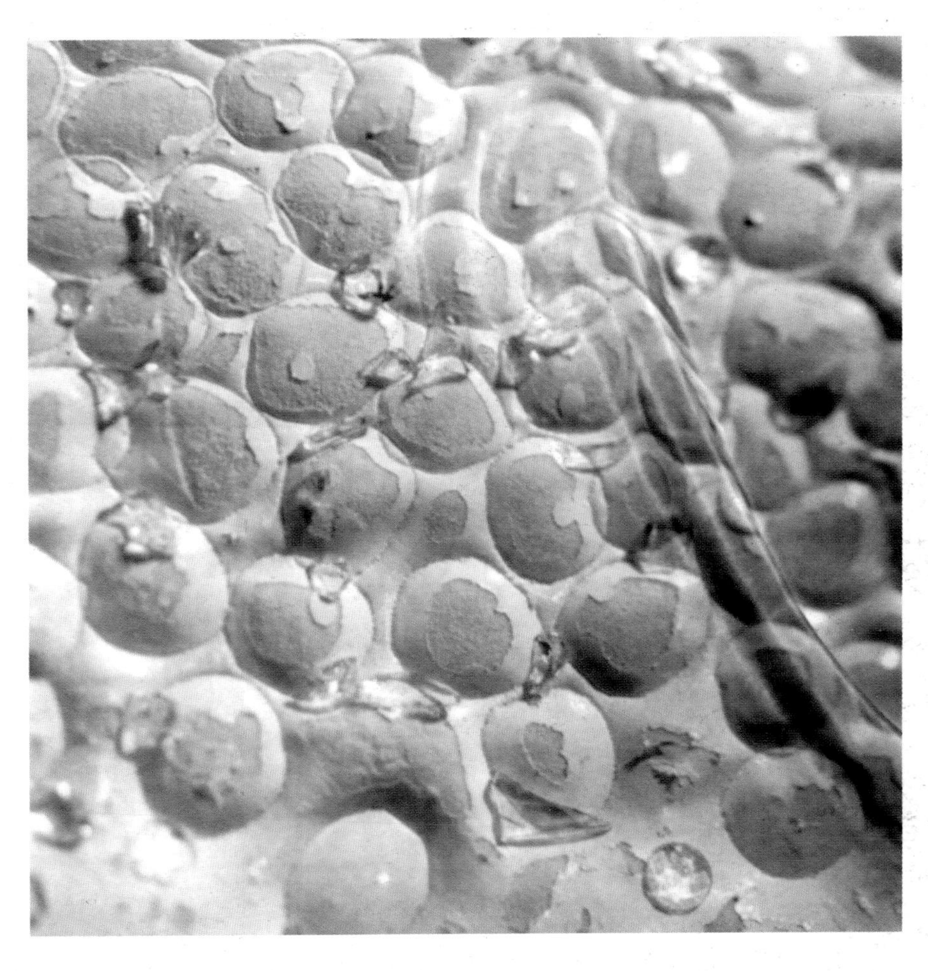

A Sense of Frost (2000)
digital print on silk, 150 x 150cm (59 x 59in)

left:
The Textile Room (1998)
silk and canvas with digital prints, 'square' and 'spiky'
50 x 50cm (20 x 20in) and 25 x 125cm (10 x 49in)

Fabric becomes confectionery, becomes skin, becomes glass…

I used to make clothing and objects based upon the appearance of chocolates and decorated cakes. In 'Comme des Poissons' I showed a fairy-tale rendition of my fascination for fish. Here the designs for clothing seemed to turn naturally into designs for objects, which could be granted a unique place in an interior. From this stage it was a logical step to making objects that are neither clothing nor pure interior decorations but something in between. This became the series 'Dresses for Tables'.

The colourful ceramics and mosaics of Jujol, the architecture of Gaudi and the Mediterranean atmosphere of Barcelona as a whole were used as a source of inspiration for colour combinations like pink, ochre, gold and blue and the patchwork patterns. I did numerous material experiments with velvet, metallic silk-organza, flockprints and polypropylene, which led to unexpected, unique forms. Sometimes the fabrics have the appearance of steel or bronze, other times they look like neatly patterned stone floors.

I want to examine fabrics, unravel their secrets like scientists do in laboratories and then turn them into richly decorated cakes, fish, mosaics and 'glass' runners.

The metamorphosis of textile has no secrets for me any more.

Stof wordt snoep, wordt huid, wordt glas…

Ik maakte kleding en objecten gebaseerd op het uiterlijk van bonbons en taarten. In 'Comme des Poissons' liet ik een sprookjesachtige vertaling zien van mijn fascinatie voor vissen. Hier gingen de ontwerpen voor kleding als vanzelf over in ontwerpen die een eigen, unieke plaats in een interieur kunnen krijgen. Van hieruit was het een logische stap naar objecten die noch kleding zijn, noch interieur-versiering alleen, maar die zich daartussenin bevinden. Dat werd de serie 'Jurken voor Tafels'.

De kleurrijke keramiek en mozaiek van Jujol, de architectuur van Gaudi en de mediterrane sfeer van Barcelona als geheel werden gebruikt als inspiratiebron voor kleurstellingen als roze, oker, goud en blauw en voor de patchworkpatronen. Met fluweel, zijdemetaalorganza, flockprints en polypropeen voerde ik tal van materiaalexperimenten uit die leidden tot onverwachte unieke vormen. De stoffen krijgen soms het uiterlijk van staal of brons, een andere keer lijken ze op een keurig gerangschikte natuursteen vloer.

Ik wil materialen onderzoeken en uitpluizen net als wetenschappers dat doen in een laboratorium en er dan taarten, vissen, mozaiek en glazen lopers van stof van te maken.

De metamorfose van textiel is voor mij geen geheim meer.

I want to examine fabrics, unravel their secrets like scientists do in laboratories and then turn them into richly decorated cakes, fish, mosaics and 'glass' runners. The metamorphosis of textile has no secrets for me any more.

right:
Poly-Cobble-Stones (1995)
from Dresses for Tables collection
metallic silk-organza, velvet, polyplastics
150 x 195cm (59 x 77in)

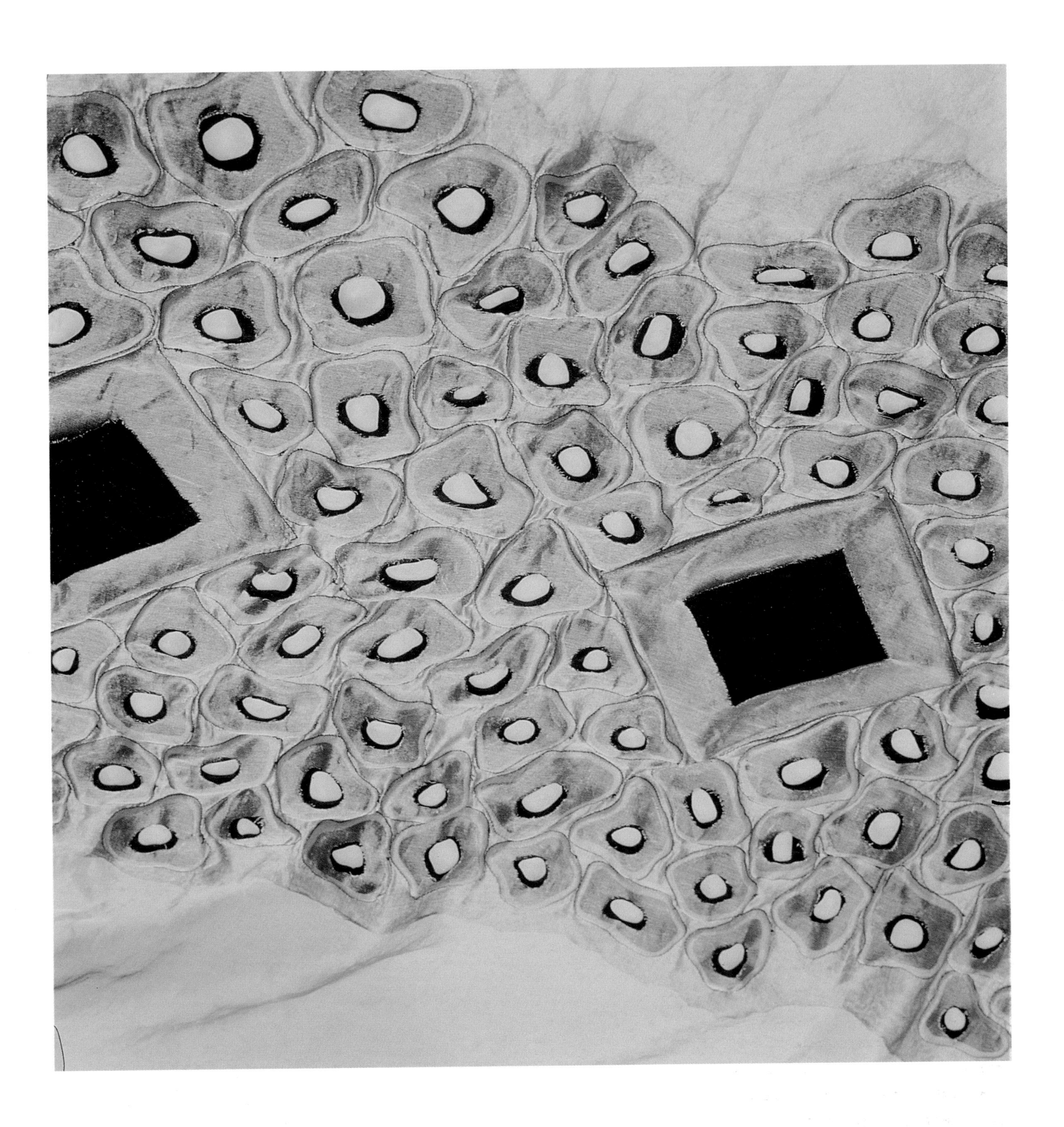

Brocade (1996)
from Fabric becomes Stone collection
metallic silk-organza, polyplastics
170 x 150cm (67 x 59in)

That is why I concentrate on the fabric itself in the collection *The Textile Room*. My inspiration for this came from all sorts of photographs: of particularly interesting architecture or the application of industrial textile to the canalisation of rivers. In this collection I aim at approaching, even more clearly than before, the material aspect of the textile I start out with. The fabric has to create its own effect. With seams, folds and stitchings, textile sculptures arise that stimulate the imagination by their own shadows. Is it a building, an erotic skin covering or a photograph? Or did the one evolve from the other? Sometimes it is everything at the same time. Of the textile sculptures I take photographs, which, extremely enlarged, form abstract images. Using the new digital inkjet printer I endow every design with a second life, as a silk scarf, a design for a settee or a curtain. The digital print enables me to realise a subtle distinction, which lends a three-dimensional character to a design. In the collection *The Textile Room* the colours have been reduced to a range of grey shades, with transparent pale greys and blacks to create a deep shadow.

The atmosphere evoked by the latest collection *A Sense of Frost* is wintry, a dry, frosty cold, powdery snow on a rough road surface. Here, too, I use textile accents in the material such as stitching, padding and affecting layers by heating, resulting in an intense effect of depth.

I think in fabrics, give that material a new quality, but don't forget at the same time that fabric is not only seen but also touched, used, thus becoming part of a sensory experience of colour and touch. In this way I address myself to a future in which a sensual dimension will have to be added to the functionality of the direct surroundings.

The sky is the limit.

In de collectie *De Textielkamer* richt ik me daarom op de stof zelf. Ik liet me inspireren door foto's van allerlei aard: van bijzondere architectuur of de toepassing van industrieel textiel bij het kanaliseren van rivieren. Met deze collectie benader ik nog duidelijker dan voorheen de materiële kant van de grondstof. De stof moet het op eigen kracht doen. Met naden, plooien en stiksels ontstaan er sculpturen van stof die door hun eigen schaduwen de fantasie prikkelen. Is het een gebouw, een erotische huidbedekking of een foto? Of was het eerst het een en dan het ander? Soms is het dat allemaal tegelijk. Van de stofsculpturen neem ik fotos die, extreem vergroot, abstracte beelden vormen. Met gebruik van de nieuwe digitale inkjetprinter geef ik elk ontwerp een tweede leven. Als zijden sjaal, als dessin voor een bank of gordijn. Met de digitale print kan ik een fijne nuance realiseren die een dessin een driedimensionaal karakter geeft. Binnen de collectie *De Textielkamer* zijn de kleuren teruggebracht tot een scala aan grijstonen, met ijle lichtgrijzen en zwart als diepe schaduw.

De sfeer van de nieuwste collectie *A Sense of Frost* is winters, een droge vrieskou, poedersneeuw op een ruw wegdek. Ik gebruik hier weer textiele accenten in de stof zoals stiksels, watteren en aantasten van laagjes door verhitting met als resultaat een grote dieptewerking.

Ik denk met stof, geef die stof een nieuwe kwaliteit en vergeet daarbij niet dat stof niet alleen gezien, maar ook gevoeld wordt, gebruikt en zo opgenomen in een complete zintuiglijke ervaring van kleur en aanraking. Ik richt me daarmee op een toekomst waarin aan de functionaliteit van de directe omgeving een sensuele dimensie moet worden toegevoegd.

The sky is the limit.

Born 1963, Stein

Education

1985–90	Academy of Fine Arts, Department of Fashion Design, Maastricht

Exhibitions: Solo

1996	Dresses for Tables, Signalement, Nederlands Textielmuseum, Tilburg
1997	The Glass Runner, Terpkerk, Urmond
1998	The Textile Room (starting own label), Gallery Intermezzo, Dordrecht

Exhibitions: Group

1991	Moda Mas, nr 1, Amsterdam
1992	Gallery Puntgaaf, Groningen
1993	Talentbörse München, Germany
1994	Interior '94, Kortrijk, Belgium
1995	Museum Het Schielandshuis, Rotterdam
1996	KunstRAI, Gallery Lous Martin, Amsterdam
1997	Grant from the Netherlands Foundation Fine Arts, Design, Architecture, Amsterdam
1999	Heimtex, Frankfurt, Germany
1999	International Textile Competition, Kyoto, Japan
2000	A Sense of Frost, Mutations/mode 1960–2000, Musée Galliera, Paris, France
2000	Charm, Bonnefanten Museum, Maastricht
2001	4th International Triennial, Doornik, Belgium

Commissions

1999	Nederlands Textielmuseum
2000	Kendix International
2000	Knoll International

Professional

1999	Lecture Institute for Fashion Management & Design, Charles Montaigne/Mr Koetsier
1999	Lecture Textile symposium 'Close to the Body', Nederlands Textielmuseum, Tilburg
1999	External examiner at the Royal Academy of Visual Arts, The Hague

Publications

1999	De Volkskrant, De Telegraaf, NRC Handelsblad, Eigen Huis & Interieur, Residence, Feeling Wonen, European Textile Forum, Stichting KM
1999	'International Textile Competition Kyoto' catalogue
2000	Textiel Plus Magazine, Elle, Elle Living, Trouw, Architektur + Wohnen, Casa Financieel, Weven, Alumni (ABK Maastricht), Elegance, Textile View, Interior View
2000	Musée Galliera, catalogue
2001	Residence, Elle Decoration, Elle Living, Arte - NL, Museumkrant nr 7, – Netherlands Textielmuseum

Work in Collection

Museum Het Schielandshuis, Rotterdam
Nederlands Textielmuseum, Tilburg
Museum at the Fashion Institute of Technology, New York, USA
The local government Westerpark, Amsterdam

left:
Fragile (1996)
from Fabric becomes Stone collection
metallic silk-organza, polyplastics
150 x 225cm (59 x 89in)

Changing Views (1997)
polyester organza – stitched, pigment dyes, dispersion dyes
four panels of 200 x 250cm (6½ x 8ft)

Ambiguity, transparency. Membranes are silvery against the backlight, but in the dark or at twilight the small facets of colour are lit from inside and the fabric changes character.

Prayer Shawl (1999)
Trevira CS, dispersion dyes
220 x 300cm (7 x 10ft)

Characteristic features of my fabrics

1. Structure. By means of stitching I manipulate flat, dull material. Thus I create the conditions for phenomena that I am often amazed at myself: the effect of light, the unruly or, on the other hand, flexible fall of the tissue, the so characteristic accumulation of dye on the higher parts of the pleats in the fabric....

2. Motion. The image is never static: as soon as the observer or wearer changes position, the image changes.

3. Coincidence. A fixed, purposeful picture on methodically applied structures will acquire a playful, accidental character by shifts of perception. Just to mention an example of this, a vertically suspended fabric can change colour completely when one happens to look at it from the other side or to brush against it.

Kenmerken van mijn stoffen

1. Structuur. Door het inzetten van stiksels manipuleer ik vlakke, saaie stof. Zo schep ik voorwaarden voor verschijnselen waar ik zelf vaak verbaasd over ben: de werking van licht, de weerbarstige of juist soepele valling van het weefsel, de zo typische opeenhoping van verf op de hoge delen....

2. Beweging. Het beeld is nooit statisch. Zodra de beschouwer of de drager beweegt, verandert het.

3. Toeval. Een strakke doelgerichte schildering op planmatig aangebrachte structuren krijgt een speels, toevallig karakter door verschuivingen in de perceptie. Een verticaal hangend doek kan bijvoorbeeld in kleur totaal omslaan als men er toevallig van de andere kant tegenaan kijkt of erlangs strijkt.

Si Amy (2000)
satin polyester
22 x 40 x 22cm (9 x 16 x 9in)
made by Maria Olsthoorn with fabric by Ella Koopman

Autonomous or applied?

A certain duality exists with respect to content. I base my work, on the one hand, on reflexes that can be summed up as servitude: the material must be supple, washable, firmly stitched, keeping its shape, etc. But I act, on the other hand, purely from artistic impulses: colour, form, composition, the urge to express myself.

Of late, I have felt compelled to hold on to my fabrics, not part with them. I myself want to determine, very conscientiously, the way in which they are eventually hung, the correlation of fabrics, sometimes combining them in layers. In short, to complete the work.

For there is, after all, quite a big risk involved in working in applied art: the dream or the promises that some textiles seem to hold are not always fulfilled in the execution of the work. However, if all of it does work, 1+1=3.

Autonoom of toegepast?

Inhoudelijk bestaat er een zekere dualiteit. Enerzijds werk ik vanuit reflexen die neerkomen op dienstbaarheid: het textiel moet soepel zijn wasbaar, hecht genaaid, vorm behoudend etc. Anderzijds handel ik louter vanuit kunstzinnige impulsen: kleur, vorm, compositie, zeggingsdrang.

Ik neig er de laatste tijd toe de doeken onder mij te houden, ze niet uit handen te geven, maar de uiteindelijke hanging, de onderlinge combinatie van stoffen, soms laag over laag, zelf consciëntieus te bepalen: het werk 'af' te maken.

Er zit een heel groot risico ingebakken in toegepast werken: de droom, de beloftes die sommige bewerkte materialen in zich dragen worden niet altijd ingelost bij de verwerking. Maar als het wel lukt, geldt: 1+1=3.

Of late, I have felt compelled to hold on to my fabrics, not part with them. I myself want to determine, very conscientiously, the way in which they are eventually hung, the correlation of fabrics, sometimes combining them in layers. In short, to complete the work.

Born	1947, Dordrecht

Education and Awards

1965–72	Academy of Visual Arts, Rotterdam and Rijks Academie, Amsterdam, Sculpture and Painting Department
1973–5	University of Amsterdam, Dutch Literature
1988	Award for International Interior Design, Milaan, in a competition organised by the Linen Institute for Europe and North America

Exhibitions

1985	Westfries Museum, Hoorn (solo)
1994	Première Vision, Paris, France
1996	Fabric in Form, Gemeentemuseum, The Hague
1997	10 years of Dutch fashion, Centraal Museum, Utrecht
1997	Gallery Smend, Cologne, Germany
2000	Museum Jan van der Togt, Amstelveen. A three-person show with Maria Olsthoorn (hats) and Jan Jansen (shoes), made with fabrics by Ella Koopman

Commissions

1990	Crematorium, Breda
1993	Epacar, Antwerpen
1994	Co-operation with Louis Féraud, Jean-Charles de Castelbajac, Claude Montana and Frans Molenaar
1994	Private interior commissions in Oostende, Belgium and Saarbrucken, Germany
1995	Curtains for a new cruise ship of the Holland America Line, the Rotterdam
1997	Transparent hangings for the glass walls of the VIP restaurants in the Arena stadium, Amsterdam
1997	Transparent hangings in the Atrium of the CHDR building, Leiden
1997	Hangings in the council chamber in the restaurant of the new city hall in Schiedam
1998	Wall piece, Regentessenkamer Maagdenhuis, University of Amsterdam
1998	Winter collection 1999, Louis Féraud, Paris, France
1999	Changing Views, collection of interior textiles for Christian Fischbacher, Switzerland
2000	Transparent textile object (10 x 4m), VastNed, Rotterdam
2000	Textile object (12 x 3m), Blijdorp Oceanium, Rotterdam

Publications

1993	Patricia Adan, 'Tinten van linnen', Residence
1994	Pauline Terreehorst, 'Doorleefde stoffen', De Volkskrant
1995	Ietse Meij, 'Textiel in vorm,' Textiel Plus
1996	Edit Schoots, 'De gemartelde lappen van Ella Koopman verwerkt tot mode', NRC-Handelsblad

TV

1996	Various television presentations as a result of the exhibition Fabric in Form in the Gemeentemuseum, The Hague

Work in Collection

1988/2000	Nederlands Textielmuseum, Tilburg
1993	Gallery Agnes Comar, Paris, France

Detail from cloth (1997)
linen and pigment dyes
400 x 90cm (13 x 3ft)

Selected further reading

Portfolio Collection: Marian Smit
Marjolein van der Stoep and Anne Kloosterboer,
Telos Art Publishing, Winchester, England, 2002

Portfolio Collection: Marian Bijlenga
Gert Staal and Jack Lenor Larsen, Telos Art Publishing, Winchester, England 2000

Stilleven Still life: Wilma Kuil
Johan R. ter Molen and Frans Bromet, Eindhoven 1999

Transparante herinneringen
Karola Pezarro, Den Haag 1996

Beyond textile. Four Dutch contemporary artists
Madeleine Wardenaar and Liesbeth Crommelin,
National Museum of Modern Art, Kyoto 1996

Sonja Besselink
C.J. Boot, Nijkerk 1994

Lisbeth Oestreicher: de invloed van het Bauhaus op haar leven en werk
C. Boot, Textielhistorische Bijdragen 30, 1990

Bauhaus: de weverij en haar invloed in Nederland
Caroline Boot, Nederlands Textielmuseum, Tilburg 1988

Standpunten
Contemporary Dutch Textile Art
Marjan Unger, Nederlands Textielmuseum, Tilburg 1986

Textielconstructies, tuintekeningen en schetsen
Museum Boymans-van Beuningen, Rotterdam 1984

The Textile Paradigm: Contemporary Art Fabric of The Netherlands
Philadelphia 1984

Een harnas met een zachte voering. Wandkleden in het Provinciehuis van Noord-Brabant
Maarten Beks and Ton Sipman, 's-Hertogenbosch 1983

Textielkunst
Mireille Houtzager, Rotterdam 1982

Exhibitions

of work by the artists featured in this book, organised in collaboration with Textiel Plus, Telos Art Publishing, and the following Galleries:

- Museum Rijswijk, Zuid-Holland, 7 Oct – 4 Nov 2001: www.museumryswyk.nl
- Kunstpaviljoen Nieuw-Roden, 10 Nov – 26 Dec 2001: www.kunstpaviljoen.nl

Telos wishes to act as a catalyst to stimulate high profile international exhibitions of textile art. To that end, it is hoped to organise a biennial beginning with Art Textiles of the World: Japan (2003), to be hosted jointly by

- Museum Rijswijk, Netherlands
  Curator: Mr Arjan Kwakernaak, fax 00 31 70 336 88 80, and
- City Art Gallery, Edinburgh,
  Curator: Bertha Walker, fax 00 44 131 529 3977
  and in collaboration with
- Keiko Kawashima, Director, Kyoto International Contemporary Textile Art Centre, fax 00 81 75 341 1505

Other Galleries interested in touring an exhibition are kindly invited to contact these Curators directly.

Further Contacts

Textiel Plus (magazine devoted to Dutch textile art) Wilhelminaweg 12, 3441 XC Woerden, The Netherlands, email: textiel.plus@worldonline.nl

Nederlands Textiel Museum: www.textielmuseum.nl

Other textile art books in preparation from Telos Art Publishing

Reinventing Textiles: Volume 2 Gender & Identity
Ed. Janis Jefferies

Will Cinderella get to the Gallery? A new start for textile art
Matthew Koumis

Portfolio Collection (profiles of leading textile artists)
Joan Livingstone (USA)
Anne Wilson (USA)
Chika Ohgi (Japan)
Chiyoko Tanaka (Japan)
Caroline Broadhead (England)
Alice Kettle (England)
Helen Lancaster (Australia)
Kay Lawrence (Australia)
Anne Marie Power (Australia)

For further details of these and other specialist textile art books, and to order on-line please visit www.arttextiles.com